주머니에 쏙~

여름 꽃식물 찾기

길가나 산기슭

숲 속

물가나 습지 · 바닷가

주머니에 쏙~

계절별 꽃식물 시리즈 (전3권)

1 봄 꽃식물 찾기

- 고경식 · 김명화 · 서재철 · 구자익
- 150×75mm
- 228 페이지
- 정가 12,000원
- 총 205종

2 여름 꽃식물 찾기

- 고경식 · 김명화 · 서재철 · 구자익
- 150×75mm
- 328 페이지
- 정가 15,000원
- 총 302종

3 가을 겨울 꽃식물 찾기

- 고경식 · 김명화 · 서재철 · 구자익
- 150×75mm
- 204 페이지
- 정가 12,000원
- 총 180종

[머리말]

우리 회사에서 간행된 『한국의 야생식물』이 여러 대학교와 연구기관 그리고 일반 독자들에게 많은 사랑을 받아 2003년에는 문화관광부 우수학술도서로 선정되는 영예를 안았다.

이 책은 『한국의 야생식물』을 토대로 우리나라 산과 들에서 볼 수 있는 야생꽃과 초등학교 교과서에 나오는 식물들을 전부 분석하여 『봄 꽃식물』, 『여름 꽃식물』, 『가을 · 겨울 꽃식물』을 계절별로 분류 · 보완하여 만들었다.

따라서 이 책을 통해 누구나 꽃이 피는 식물과 나무에 대해 쉽고 재미있게 이해할 수 있게 하였으며, 또한 휴대하기 좋은 판형으로 만들어 언제 어디서나 가지고 다니면서 활용할 수 있도록 하였다.

산기슭을 올라 중턱을 지나고 숲 속을 걷다가 또는 강가나 바닷가를 거닐다 어떤 꽃식물이 궁금할 때, 이 책을 펼치면 꽃이 피는 시기와 장소, 열매, 꽃에 대한 전설, 이름의 유래, 약초로서의 효능까지 그간의 숨은 이야기들을 들려줄 것이다.

나아가 이 책이 자연의 소박한 아름다움은 물론, 자연환경을 연구하는 계기가 되기를 바라며, 출간에 협조하여 주신 사진작가 여러 선생님께 감사드린다.

2010년 새봄
엮은이

[차 례]

숲 속

길가나 산기슭

각시원추리 Hemerocallis dumortieri [백합과]

뿌리줄기가 없다. 잎은 황록색을 띠며 마주난다. 연한 노란색 꽃은 꽃줄기 끝에서 위를 향해 피며 향기가 있다. 수술은 꽃덮이조각보다 짧고, 암술은 수술보다 길다.

열매는 익으면 등쪽으로 갈라진다. 씨는 검은색이고 광택이 있다.

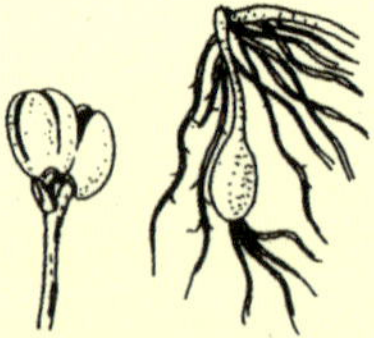

열매　　덩이줄기와 뿌리

* 여러해살이풀
* 줄기 : 50~60cm
* 개화 : 7~8월
* 열매 : 삭과

들꽃 이야기 *산중턱 아래의 볕이 잘 드는 풀밭에서 자란다. 원추리에 비해 키가 작아 각시원추리라고 부른다. '각시'는 기준이 되는 풀보다 키가 작을 때 붙인다.*

갈퀴덩굴 Galium spurium [꼭두서닛과]

줄기에서 가지가 여러 갈래로 갈라지며, 밑을 향한 가는 가시털이 있다. 잎몸은 피침형이며, 가장자리와 중앙맥에 밑을 향한 잔가시가 있다.

연한 황록색 꽃은 잎겨드랑이나 줄기 끝에 여러 개 모여 핀다. 열매에 갈고리모양의 가시가 촘촘하다.

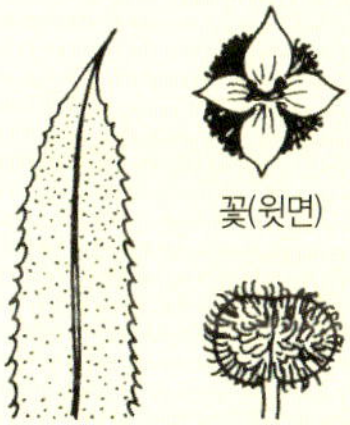

* 한두해살이풀
* 줄기 : 60~100cm
* 개화 : 6~7월
* 열매 : 분과

들꽃 이야기 *밭둑이나 길가, 빈터 응달에서 자란다. 열매에 달린 갈고리 같은 딱딱한 털이 다른 물체에 잘 달라붙어 갈퀴덩굴이라는 이름이 붙여졌다.*

갈풀 Phalaris arundinacea [볏과]

뿌리줄기가 길게 옆으로 벋는다. 잎은 백록색을 띠며 껄끄럽다. 줄기 끝의 담록색 꽃차례에 잔이삭이 촘촘히 달려 원기둥모양을 이룬다. 수술은 3개이고 암술대는 2개로 갈라진다.

잎에 흰 줄무늬가 있으며, 뜰에 심어 가꾸는 것은 흰갈풀, 흰줄갈풀이라고 한다.

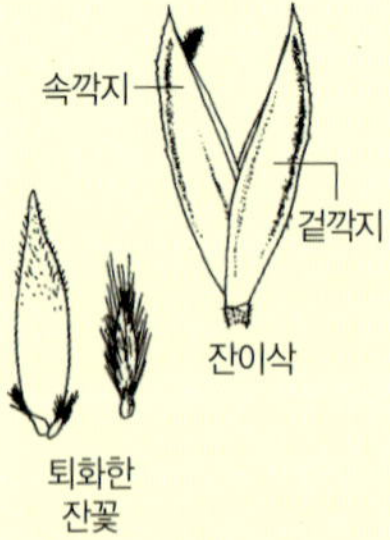

* 여러해살이풀
* 줄기 : 70~160cm
* 개화 : 6~7월
* 열매 : 영과

들꽃 이야기 *산기슭의 볕이 잘 드는 풀밭이나 물가에서 자란다. 소 먹이풀로 많이 쓴다. 잎에 흰 줄이 세로로 난 흰갈풀의 잎을 자르면 흰색 부위가 붉은색을 띤다.*

강아지풀 Setaria viridis [볏과]

줄기는 가늘고 곧게 선다. 잎은 어긋나고 털이 없으나, 잎혀는 털이 있고 1줄로 늘어서 있다.

잔이삭이 밀집한 원기둥모양의 이삭 꽃차례는 7cm 정도이며, 줄기 끝에 곧게 선다. 잔이삭은 2mm 정도이고, 자루 밑부분에 3~4개의 녹색 또는 자주색 가시털이 있다.

* 한해살이풀
* 줄기 : 40~70cm
* 개화 : 7~8월
* 열매 : 영과

들꽃 이야기 *길가나 빈터에서 자란다. 녹색 또는 자주색 털이 난 원기둥모양의 꽃이삭이 강아지 꼬리를 닮아서 강아지풀이라는 이름이 붙여졌다.*

개감수 Euphorbia sieboldianus [대극과]

뿌리줄기는 옆으로 뻗는다. 줄기는 곧게 서고, 자홍빛 녹색이며, 자르면 흰 유액이 나온다. 잎은 어긋나고 긴 타원형이고 가장자리가 밋밋하며 잎자루가 없다.

꽃은 줄기 끝에서 뻗은 가지에 등잔모양 꽃차례로 달린다. 열매는 3개로 갈라지며 매끄럽다.

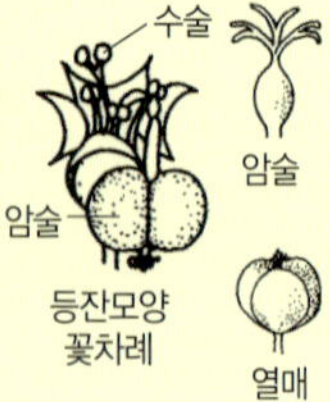

* 여러해살이풀
* 줄기 : 20~40cm
* 개화 : 5~7월
* 열매 : 삭과

들꽃 이야기

산이나 들에서 자란다. 얼굴이 부을 때, 배가 더부룩할 때 쓰이는 감수의 쓰임새와 비슷하므로 '가짜'라는 뜻의 '개' 자를 붙여 개감수라고 부른다.

개갓냉이 Rorippa indica [십자화과]

줄기 윗부분에서 가지가 갈라진다. 뿌리에서 난 잎은 깃모양으로 갈라지고, 가장자리에 굵은 톱니가 있다. 줄기잎은 어긋나고 잎자루가 없으며 불규칙한 톱니가 있다.

노란색 꽃이 가지나 줄기 끝에 술모양 꽃차례로 핀다. 꽃받침조각과 꽃잎은 각각 4개이다.

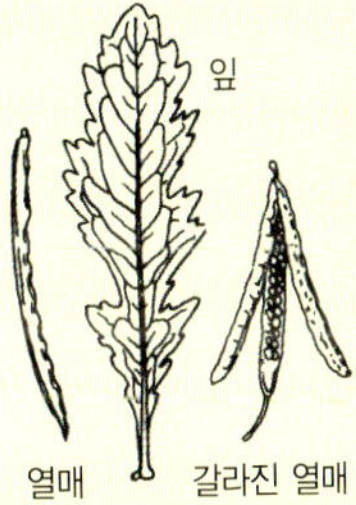

* 여러해살이풀
* 줄기 : 30~50cm
* 개화 : 5~6월
* 열매 : 장각과

들꽃 이야기 경작지나 습지, 도랑가에서 자란다. '졸속속이풀'이라고도 한다. 어린순은 김치로 담가 먹는다. 민간요법으로 풀 전체를 짓찧어서 상처에 붙이기도 한다.

개기장 Panicum bisulcatum [볏과]

줄기는 가늘고 곧게 서며, 밑부분에서 많은 가지가 갈라진다. 잎은 털이 없으나 잎집 가장자리에는 털이 있다.

여러 갈래로 갈라져 옆으로 퍼진 원뿔 꽃차례에 잔이삭이 느슨하게 달려 밑으로 처진다. 잔이삭은 담록색 또는 암자색을 띠며 까끄라기가 없다.

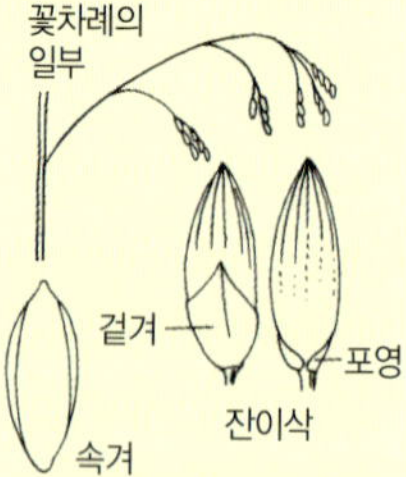

* 한해살이풀
* 줄기 : 30~120cm
* 개화 : 8~9월
* 열매 : 영과

들꽃 이야기

풀밭이나 숲 속, 산기슭에서 자란다. '들기장'이라고도 한다. 생김새는 기장처럼 생겼지만, 먹지 않는 기장이라 하여 '가짜'라는 뜻의 '개' 자를 붙여 개기장이라고 부른다.

개똥쑥 Artemisia annua [국화과]

특유의 냄새가 난다. 줄기는 곧게 서고 털이 없으며, 많은 가지가 갈라진다. 잎은 어긋나고, 잎몸은 3회 깃모양으로 깊게 갈라진다.

윗부분의 가지에 노란색 대롱꽃만으로 이루어진 작은 머리모양 꽃차례가 원뿔모양을 이룬다. 열매는 길이 1mm 미만이다.

* 한해살이풀
* 줄기 : 1m 정도
* 개화 : 8~9월
* 열매 : 수과

들꽃 이야기 *빈터나 길가, 강가에서 자란다. '잔잎쑥, 개땅쑥'이라고도 한다. 한방에서 열이 나는 감기에 걸렸을 때, 소화가 잘 되지 않을 때 약재로 쓴다.*

개망초 Erigeron annuus [국화과]

줄기에 거친 털이 있다. 뿌리에서 난 잎은 달걀모양이다. 줄기의 잎은 어긋나고 달걀모양 피침형이며 털이 있다.

머리모양 꽃차례는 지름 2cm 정도로, 혀꽃은 흰색 또는 자홍색의 암꽃이고, 대롱꽃은 노란색이다. 열매는 갓털이 거의 없거나 흔적만 있다.

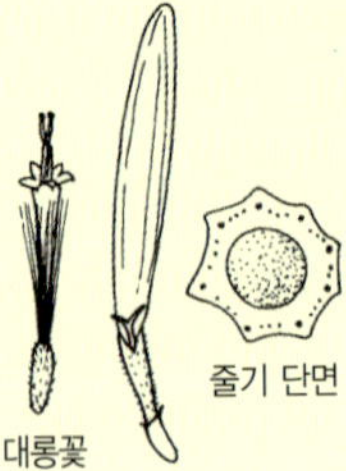

* 한두해살이풀
* 줄기 : 1m 정도
* 개화 : 7~9월
* 열매 : 수과

들꽃 이야기

길가나 빈터에서 자란다. '왜풀, 넓은잎잔꽃풀, 개망풀' 이라고도 한다. 북아메리카 원산의 귀화식물이며, 어린잎은 먹거나 퇴비로 쓴다.

개미자리 Sagina japonica [석죽과]

줄기 밑부분에서 많은 가지가 갈라지고 윗부분에 샘털이 있다. 잎은 마주나고 짙은 녹색이며 잎자루가 없다.

흰 꽃은 윗부분의 잎겨드랑이에 1개씩 달린다. 꽃잎은 달걀 모양 또는 타원형이고, 꽃받침보다 길이가 조금 짧거나 같다. 열매는 익으면 5개로 갈라진다.

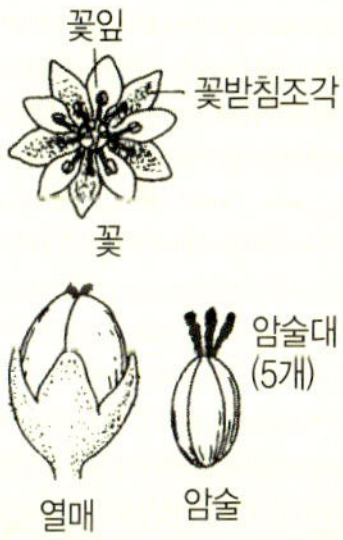

* 한두해살이풀

* 줄기 : 5~20cm

* 개화 : 6~7월

* 열매 : 삭과

들꽃 이야기 *길가나 뜰의 응달에서 자란다. '개미나물'이라고도 한다. 이 풀 근처에 개미들이 많이 지나다녀서 개미자리라는 이름이 붙여졌다.*

개밀 Agropyron tsukushiense var. transiens [볏과]

무리지어 자란다. 잎은 회백색이며 끝이 밑으로 처진다. 꽃자루가 없는 20개 정도의 잔이삭이 어긋나게 달려 자색 또는 백록색의 술모양 꽃차례를 이룬다.

잔이삭은 길이 2cm 정도이며, 5~8개의 잔꽃으로 이루어진다. 깍지(포영)와 겉겨(호영)는 거의 길이가 같다.

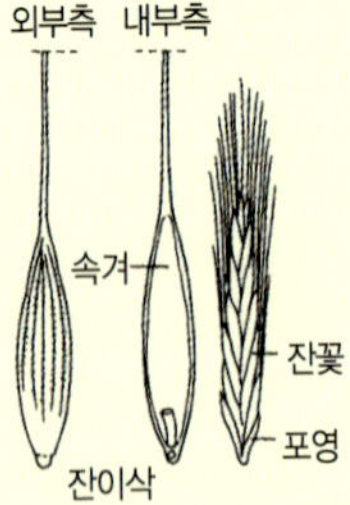

* 여러해살이풀
* 줄기 : 70~100cm
* 개화 : 6~7월
* 열매 : 영과

들꽃 이야기 *평지나 산속 길가, 풀밭에서 자란다. 우리나라에는 개밀을 비롯하여 6종의 개밀속 식물이 자라는데, 이 중에서 개밀과 속털개밀을 흔히 볼 수 있다.*

개비름 Amaranthus lividus [비름과]

줄기 밑부분은 땅을 기거나 비스듬히 서고, 많은 가지가 갈라지며 털이 없다. 잎은 어긋나며 끝이 얕게 파이고 잎자루가 길다.

꽃은 암수 꽃이 잎겨드랑이에 섞여 피거나, 가시 끝에 이삭모양 꽃차례로 달린다. 열매는 꽃받침조각보다 길며 갈라지지 않는다.

* 한해살이풀
* 줄기 : 30~80cm
* 개화 : 6~7월
* 열매 : 포과

들꽃 이야기 *볕이 잘 드는 길가나 빈터, 밭둑에서 자란다. 어린순은 나물로 먹고, 줄기와 잎은 사료로 쓴다. 풀 전체 또는 뿌리는 '백현'이라고 하여 약재로 쓴다.*

계요등 Paederia scandens [꼭두서닛과]

줄기는 왼쪽으로 물체에 감기며 밑부분은 흔히 나무로 변한다. 잎은 마주나고 피침형이며 악취가 난다.

흰 꽃은 잎겨드랑이에 원뿔꽃차례를 이루어 종모양으로 피고, 끝이 얇게 5개로 갈라진다. 꽃잎 안쪽에 자홍색 반점이 있다. 열매는 누렇게 익는다.

* 여러해살이풀
* 줄기 : 5~7m
* 개화 : 7~8월
* 열매 : 핵과

들꽃 이야기

울릉도, 제주도와 경기도 이남의 볕이 잘 드는 평지 풀밭이나 숲 속에서 자란다. 풀에서 닭(鷄) 오줌(尿) 냄새가 난다고 하여 붙여진 이름이다.

고삼 Sophora flavescens [콩과]

잎은 어긋나고 홀수 깃모양 겹잎이다. 작은 잎은 15~41개이며, 양면에 털이 있다.

연한 노란색의 나비모양 꽃은 술모양 꽃차례로 줄기 끝에 달린다. 꽃받침에 잔털이 있으며, 수술은 10개이다. 꼬투리는 마디마다 씨가 들어 있고, 끝이 부리모양으로 뾰족하다.

수술

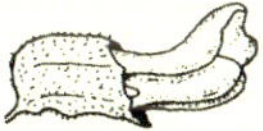

꽃

열매

* 여러해살이풀
* 줄기 : 80~150cm
* 개화 : 6~7월
* 열매 : 꼬투리

들꽃 이야기 *산기슭의 풀밭이나 길가에서 자란다. '도둑놈의지팡이'라고도 한다. 맛이 쓰고(苦), 효능이 삼(參)과 비슷하여 '고삼'이라는 이름이 붙여졌다.*

고추나물 Hypericum erectum [물레나물과]

줄기 윗부분에서 가지가 갈라진다. 잎은 마주나며 잎자루가 없고 긴 타원형이며 표면에 흑점이 있다.

노란 꽃은 줄기나 가지 끝에 모여난다. 꽃받침조각은 5개이며, 가장자리는 흑점이 이어진다. 5개의 꽃잎은 거꿀달걀모양이며 가장자리에 흑점이 많다.

* 여러해살이풀
* 줄기 : 20~80cm
* 개화 : 7~8월
* 열매 : 삭과

들꽃 이야기 *습지나 논두렁에서 자란다. 고추나물의 비밀을 사람들에게 퍼뜨렸다고 하여 형이 동생을 죽였는데, 그 동생의 무덤에 해마다 고추나물이 돋아났다는 이야기가 전한다.*

과꽃 Callistephus chinensis [국화과]

풀 전체에 흰 털이 촘촘하다. 줄기는 가지를 많이 치며 자주색이다. 잎은 어긋나고 거친 톱니가 있으며, 아랫부분에 난 잎은 꽃이 필 때 없어진다.

국화와 비슷하게 생긴 꽃이 긴 꽃자루 끝에 1개씩 흰색, 보라색, 빨간색, 여러 빛깔이 섞인 색 등으로 핀다.

잎

* 한해살이풀
* 줄기 : 30~100cm
* 개화 : 7~9월
* 열매 : 수과

들꽃 이야기 *꽃밭에 가꾸거나 꽃꽂이용으로 재배한다. '취국, 당국화'라고도 한다. 원래 우리나라에 자생하던 한해살이풀이었는데 프랑스, 독일, 영국 등지에서 지금의 과꽃으로 개량되었다.*

괭이밥 Oxalis corniculata [괭이밥과]

줄기는 땅을 긴다. 잎은 어긋나고 잎자루는 곧게 서며, 밑부분에 작은 턱잎이 있다. 작은 잎이 3개씩 잎몸을 이루어 달리며, 뒷면에 털이 약간 있다.

꽃줄기는 곧게 서고, 노란 꽃 2~8개가 우산모양 꽃차례를 이룬다. 꽃받침조각과 꽃잎은 각각 5개이다. 열매에 털이 촘촘하다.

* 여러해살이풀
* 줄기 : 2~7cm
* 개화 : 5~9월
* 열매 : 삭과

들꽃 이야기 *볕이 잘 드는 길가나 빈터, 밭둑에서 자란다. 뿌리줄기와 잎에서 신맛이 나서 '시금초'라고도 한다. 고양이가 소화가 되지 않을 때 신맛이 나는 이 풀을 뜯어먹는다고 한다.*

구슬갓냉이 Rorippa globosa [십자화과]

줄기는 털이 없으며, 윗부분에서 많은 가지가 갈라진다. 잎은 어긋나고 잎자루가 길며 불규칙한 톱니가 있지만, 윗부분의 잎은 가장자리가 밋밋하다.

노란 꽃은 줄기나 가지 끝에 술모양 꽃차례를 이루며 핀다. 꽃받침조각과 꽃잎은 길이가 비슷하다.

* 여러해살이풀
* 줄기 : 60~80cm
* 개화 : 5~6월
* 열매 : 단각과

들꽃 이야기 *산기슭의 풀밭이나 습지에서 자란다. '둥근속속이풀, 구과한채'라고도 한다. 잎은 갓처럼 생기고, 열매가 동글동글하여 구슬갓냉이라는 이름이 붙여졌다.*

글라디올러스 Gladiolus gandavensis [붓꽃과]

알줄기는 둥글고 납작하며 윗부분은 비늘조각잎으로 덮이고, 아랫부분에 구슬 줄기가 생긴다. 잎은 검모양으로 2줄로 벋으며, 밑부분은 얼싸안는다.

줄기 끝에 술모양 꽃차례를 이루어 붉은색, 분홍색, 흰색, 노란색 등 다양한 색의 꽃이 한쪽 방향으로 달린다.

* 여러해살이풀
* 줄기 : 80~100cm
* 개화 : 6~7월
* 열매 : 삭과

들꽃 이야기 *남아프리카 원산으로, 많은 원예 품종이 있다. 이름은 잎의 모양에서 유래하여 붙여진 것으로, '검'이라는 뜻의 라틴어 'gladius'에서 비롯되었다. 꽃말은 '젊음'이다.*

금불초 Inula britannica var. chinensis [국화과]

줄기에 털이 있다. 줄기 밑부분의 잎은 꽃이 필 무렵 말라 죽고, 중간 부분의 잎은 어긋나며 잎자루가 없다.

줄기 윗부분에 노란색 머리모양 꽃차례가 편평하고 가지런히 핀다. 열매는 길이 1mm 정도이며 털이 있고, 갓털은 길이 5mm 정도이며 연한 회갈색이다.

* 여러해살이풀
* 줄기 : 20~60cm
* 개화 : 7~9월
* 열매 : 수과

들꽃 이야기

산기슭이나 골짜기의 물가에서 자란다. 한방에서 말린 금불초 꽃을 '선복화'라고 한다. '선복'은 '꽃과 잎이 무성하고 둥근 것이 아래로 기울어져 있다.'는 뜻이다.

기생초 Coreopsis tinctoria [국화과]

줄기 윗부분에서 여러 갈래로 가지가 갈라지며 털이 없다. 잎은 마주나고 2회 깃모양으로 갈라지며 잎자루가 있다.

줄기나 가지 끝에서 머리모양 꽃이 1개씩 위를 향해 핀다. 혀꽃은 길이 7~15mm로 위는 노란색, 아래는 적자색이다. 대롱꽃은 자갈색이다.

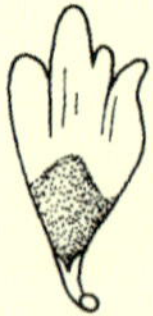

허꽃

어린 머리모양 꽃

* 한해살이풀
* 줄기 : 60~120cm
* 개화 : 6~7월
* 열매 : 수과

들꽃 이야기 *철도 주변이나 도시 주변 냇가, 빈터에서 자란다. 많은 원예품종이 있으며 화려한 색의 꽃이 피어 기생초라는 이름이 붙여졌다고 한다.*

길골풀 Juncus tenuis [골풀과]

줄기는 가는 원기둥모양으로 뿌리줄기에서 뭉쳐난다.

줄기 끝에 여러 개의 작은 담록색 꽃이 모여 집산 꽃차례를 이루어 핀다. 6개의 꽃덮이조각은 피침형이며 연한 녹색을 띤다. 수술은 6개, 암술은 1개이고 암술대는 깊게 3개로 갈라진다. 열매는 3개로 갈라진다.

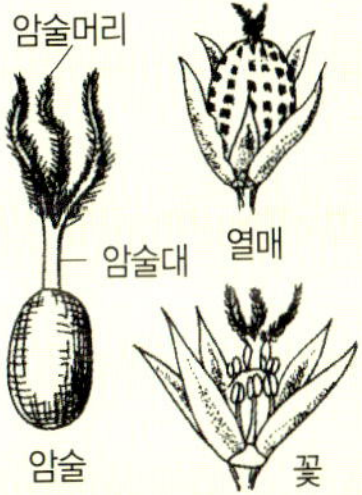

* 여러해살이풀
* 줄기 : 30~60cm
* 개화 : 6~7월
* 열매 : 삭과

들꽃 이야기

평지나 산속의 볕이 잘 드는 풀밭에서 자란다. '풀골'이라고도 한다. 수술은 꽃덮개 길이의 1/2 정도이며, 꽃밥은 수술대 길이의 1/2 정도이다. 털이 많은 특징이 있다.

김의털 Festuca ovina [벼과]

줄기가 빽빽하게 뭉쳐난다. 잎은 안쪽으로 감기어 털같이 가늘며 곧게 선다.

잔이삭은 연한 녹색이며, 3~5개의 잔꽃으로 이루어진다. 겉깍지(첫째 포영)에 1맥, 속깍지(둘째 포영)에 3맥이 있다. 깍지는 겉겨(호영)보다 짧으며, 겉겨 끝에 까끄라기가 있다.

* 여러해살이풀
* 줄기 : 20~40cm
* 개화 : 6~8월
* 열매 : 영과

들꽃 이야기 *산과 들, 고산에서 자란다. 관모봉에서 자라는 '두메김의털,' 서울과 거문도에서 자라는 '서울김의털', 잎에 홈이 있는 '지리산김의털' 등이 있다.*

까마중 Solanum nigrum [가짓과]

줄기는 곧게 서고 많은 가지가 갈라진다. 잎은 어긋나며 넓은 달걀모양이다. 잎 가장자리는 밋밋하며 뒷면의 맥 위에 잔털이 있다.

흰 꽃은 마디 사이의 중간부에서 벋은 꽃자루에 여러 개가 우산모양 꽃차례로 아래를 향해 달린다. 열매는 검게 익는다.

* 한해살이풀

* 줄기 : 30~60cm

* 개화 : 6~7월

* 열매 : 액과(장과)

들꽃 이야기 *볕이 잘 드는 평지 길가나 밭둑에서 자란다. '가마중, 까마종이, 깜뚜라지'라고도 한다. 까만 열매가 중의 머리를 닮았다고 하여 까마중이라고 부른다.*

깨풀 Acalypha australis [대극과]

줄기에서 가지가 갈라지지 않으며 짧은 털이 촘촘히 나 있다. 잎은 어긋나고 잎몸은 긴 타원형이다. 잎 양면에 털이 있고 가장자리에 톱니가 있다.

잎겨드랑이의 이삭 꽃차례 윗부분에 수꽃이 달리고, 꽃차례 밑부분에 암꽃이 달린다. 열매에 털이 있다.

* 한해살이풀
* 줄기 : 20~40cm
* 개화 : 8~9월
* 열매 : 삭과

들꽃 이야기 *길가나 밭둑에서 자란다. '함주초, 철현채'라고도 한다. 어린순은 나물로 먹으며, 가축 사료로 쓰기도 한다. 한방에서 열이 나는 감기, 코피 등을 치료하는 데 쓴다.*

꼬리풀 Veronica linariifolia [현삼과]

줄기는 곧게 선다. 잎은 마주나며 피침형이다. 잎 밑부분이 좁아지면서 잎자루를 이룬다.

꽃은 줄기 끝에 이삭 꽃차례를 이룬다. 꽃부리는 청자색을 띤다. 꽃받침은 깊게 4개로 갈라지며 털이 있다. 열매 끝에 암술대가 남아 있으며 꽃받침에 싸여 있다.

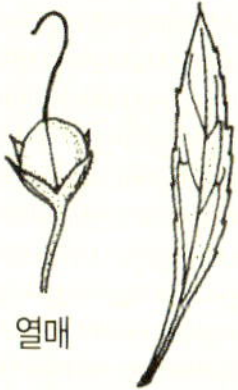

* 여러해살이풀
* 줄기 : 30~70cm
* 개화 : 7~8월
* 열매 : 삭과

들꽃 이야기 *산기슭이나 풀밭에서 자란다. '가는잎꼬리풀, 자주꼬리풀'이라고도 한다. 꽃 모양이 동물 꼬리 같아서 꼬리풀이라고 부른다. 어린잎은 먹고, 민간에서는 약재로 쓴다.*

꽈리 Physalis alkekengi var. francheti [가짓과]

줄기는 털이 없다. 잎은 마디마다 어긋나게 2개씩 달리고 넓은 달걀모양이다.

꽃은 연한 노란색으로, 2개의 잎자루 사이에서 1개씩 밑을 향해 달린다. 꽃받침은 짧은 대롱모양이며, 꽃부리는 수평으로 퍼진다. 열매는 붉게 익으며, 꽃받침에 둘러싸인다.

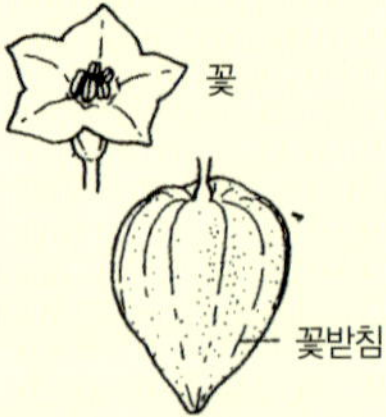

* 여러해살이풀
* 줄기 : 60~90cm
* 개화 : 6~7월
* 열매 : 액과(장과)

들꽃 이야기 *마을 부근이나 길가, 밭에서 자란다. 빨갛게 잘 익은 열매에서 씨를 뺀 다음 입에 넣고 불면 '꽈르꽈르' 소리가 나서 꽈리라는 이름이 붙여졌다.*

꿀풀 Prunella vulgaris var. lilacina [꿀풀과]

줄기는 곧게 서고 네모지며, 위를 향한 잔털이 촘촘히 난다. 잎은 마주나고 긴 타원형이다.

줄기 끝에 이삭모양 꽃차례를 이루며, 짙은 자색 꽃이 많이 핀다. 꽃부리는 입술모양으로, 윗입술은 곧게 서고 아랫입술은 3개로 갈라진다. 수술은 4개인데, 그 중 2개는 길다.

꽃

* 여러해살이풀

* 줄기 : 20~40cm

* 개화 : 5~7월

* 열매 : 분과

들꽃 이야기 *산기슭의 볕이 잘 드는 풀밭에서 자란다. 꽃이 진 후에도 꽃차례가 검게 변한 채 남아 있어 '하고초(夏枯草)'라고 부른다. 꽃을 빨면 꿀이 나와 꿀풀이라고 부른다.*

꿩의다리 Thalictrum aquilegifolium [미나리아재빗과]

줄기는 털이 없이 분백색을 띠거나 자갈색을 띤다. 줄기잎은 3출 겹잎이다. 작은 잎은 흔히 3개로 갈라지며 뒷면이 희다.

줄기나 가지 끝에 지름 1cm 정도의 꽃이 산방 꽃차례를 이룬다. 수술대는 희고 꽃밥은 연한 노란색이다. 열매는 밑으로 늘어진다.

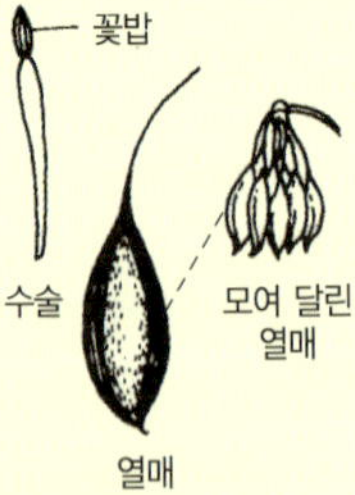

* 여러해살이풀
* 줄기 : 50~120cm
* 개화 : 7~9월
* 열매 : 수과

들꽃 이야기

산기슭의 풀밭에서 자란다. 가늘고 길게 뻗은 줄기가 마치 꿩의 다리와 닮아 꿩의다리라고 부른다. 어린잎과 줄기를 먹으며 한방에서는 약재로 쓴다.

나비나물 Vicia unijuga [콩과]

굵은 뿌리줄기가 있으며 줄기는 여러 개가 모여난다. 잎은 어긋나고 긴 타원형이며 끝이 길게 뾰족하다.

꽃은 자색 또는 분홍색을 띠며, 한쪽 방향으로 잎겨드랑이에 빽빽하게 술모양 꽃차례로 핀다. 꼬투리에 털이 없으며 3~7개의 씨가 들어 있다.

* 여러해살이풀
* 줄기 : 50~100cm
* 개화 : 7~8월
* 열매 : 꼬투리

들꽃 이야기 *들이나 숲 속에서 자란다. 꽃 모양과 함께 마주난 2장의 잎 모양이 나비를 닮아 나비나물이라는 이름이 붙여졌다. 어린순은 나물로 먹는다.*

나팔꽃 Pharbitis nil [메꽃과]

줄기는 긴 털이 촘촘히 나고 왼쪽으로 물체에 감기며 잎은 어긋난다.

꽃은 청자색, 자홍색, 흰색 등으로 잎겨드랑이에 1~2개씩 달리며, 아침에 피었다가 오후에 시든다. 꽃부리는 깔때기모양이다. 열매는 3실로 구분되며, 각 실마다 2개의 검은 씨가 있다.

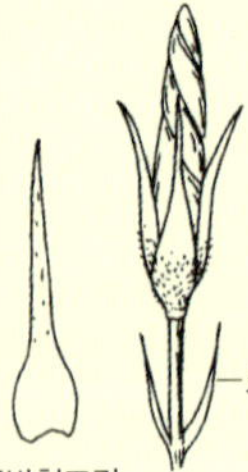

* 한해살이풀
* 줄기 : 3~4m
* 개화 : 7~8월
* 열매 : 삭과

들꽃 이야기

길가나 빈터에서 자란다. 활짝 피어 있는 꽃 모양이 마치 우리나라의 전통악기인 나발(나팔)과 닮아서 나팔꽃이라는 이름이 붙여졌다.

네잎갈퀴덩굴 Vicia nipponica [콩과]

줄기는 곧게 서며 모가 진다. 잎은 어긋나며 짝수 깃모양 겹잎이고, 덩굴손이 없다.

청자색의 나비모양 꽃 5~15개가 잎겨드랑이에 술모양 꽃차례를 이루어 핀다. 꽃받침은 끝이 가늘게 5개로 갈라지고 털이 있다. 꼬투리에는 털이 없고 3~5개의 씨가 들어 있다.

* 여러해살이풀
* 줄기 : 30~80cm
* 개화 : 7~9월
* 열매 : 꼬투리

들꽃 이야기

산기슭 풀밭이나 해안 산기슭에서 자란다. '네잎갈퀴나물'이라고도 한다. 이름 끝에 덩굴을 붙여 꼭두서닛과의 네잎갈퀴와 구별한다.

녹두 Phaseolus radiatus [콩과]

줄기는 가늘고 10여 개의 마디가 있으며 가지를 친다. 잎은 1쌍의 떡잎과 갓 생겨난 잎이 나온 뒤, 3개의 작은 잎으로 된 겹잎이 나온다.

노란 꽃은 잎겨드랑이에 몇 개씩 모여나며 3~4쌍만 열매를 맺는다. 녹색 열매는 익으면 검어지고 길고 거친 털로 덮인다.

꽃

* 한해살이풀
* 줄기 : 30~80cm
* 개화 : 8월
* 열매 : 꼬투리

들꽃 이야기

따뜻한 기후의 모래와 점토가 알맞게 섞인 흙에서 잘 자란다. '안두, 길두'라고도 한다. 한 꼬투리에 10~15개의 씨가 들어 있다.

다닥냉이 Lepidium apetalum [십자화과]

줄기 윗부분에서 많은 가지가 갈라진다. 뿌리에서 난 잎은 깃모양 겹잎이고 잎자루가 길다. 줄기잎은 피침형이고 잎자루가 없다.

흰 꽃은 가지 끝에 술모양 꽃차례를 이룬다. 꽃잎은 4개이고, 꽃받침조각은 녹색이며 4개이다. 열매는 2개로 갈라진다.

* 두해살이풀
* 줄기 : 40~60cm
* 개화 : 5~7월
* 열매 : 단각과

들꽃 이야기 *밭둑이나 빈터에서 자란다. 흰 꽃이 가지에 많이 피어나며, 꽃이 진 자리에도 열매가 다닥다닥 많이 맺혀 있어 다닥냉이라는 이름이 붙여졌다.*

달리아 Dahlia pinnata [국화과]

줄기는 속이 비어 있다. 잎은 마주나며 잎몸은 깃모양으로 1~3회 깊게 갈라지고, 질이 두터우며 광택이 있다.

가지 끝에서 2~3개의 긴 꽃자루가 곧게 벋고, 그 끝에 머리모양 꽃이 옆이나 밑을 향해 핀다. 덩이모양으로 비대한 뿌리 윗부분에서 새 줄기가 뭉쳐난다.

꽃

* 여러해살이풀
* 줄기 : 2m 정도
* 개화 : 7~8월
* 열매 : 수과

들꽃 이야기

멕시코 고원 지방이 원산이다. 달리아라는 이름은 18세기 스웨덴의 식물학자이며 린네의 제자였던 '안드레아 다알(Andreas Dahl)'의 이름에서 따온 것이다.

달맞이꽃 Oenothera odorata [바늘꽃과]

줄기에 부드러운 털이 위를 향해 나 있다. 뿌리에서 난 잎은 피침형이고 끝이 뾰족하거나 둔하다. 줄기의 잎은 어긋난다.

줄기 윗부분에 노란 꽃이 5~6개 모여 해질 무렵에 피고 아침에 시든다. 열매는 긴 타원형이다. 씨에는 여러 개의 모가 나 있으며 주름은 없다.

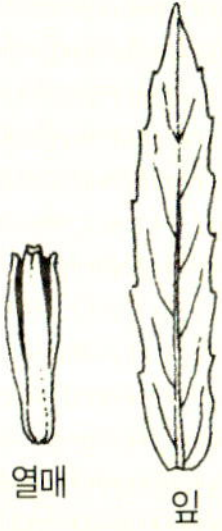

* 두해살이풀

* 줄기 : 30~100cm

* 개화 : 7~9월

* 열매 : 삭과

들꽃 이야기 *볕이 잘 드는 강가나 길가, 빈터에서 자란다. 달처럼 둥근 노란 꽃이 저녁에 피었다가 아침에 시들어 달맞이꽃이라고 부른다. 꽃말은 '기다림'이다.*

닭의장풀 Commelina communis [닭의장풀과]

줄기 밑부분은 비스듬히 옆으로 벋는다. 잎은 어긋나고 잎몸은 피침형이며, 털이 없고 밑부분은 잎집으로 줄기를 싼다.

줄기 윗부분의 잎겨드랑이에 짙은 푸른색 꽃이 1개씩 핀다. 꽃잎은 3개인데 2개만 푸른색이며, 1개는 작고 투명한 막질이다.

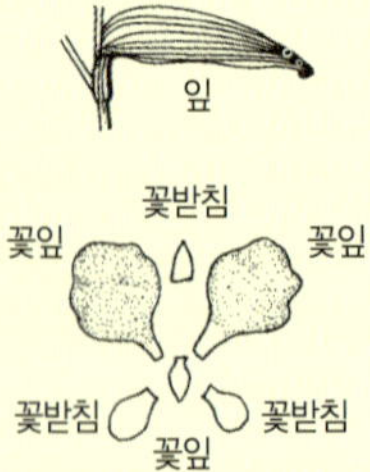

* 한해살이풀
* 줄기 : 15~50cm
* 개화 : 6~10월
* 열매 : 삭과

들꽃 이야기

평지의 길가나 빈터, 산기슭 풀밭에서 자란다. '달개비, 닭의밑씻개'라고도 한다. 닭장 주변에서 잘 자라 붙여진 이름이다. 한방에서 잎을 약재로 쓴다.

담쟁이덩굴 Parthenocissus tricuspidata [포도나뭇과]

잎은 덩굴손과 마주난다. 잎몸은 홑잎 또는 3개의 작은 잎으로 된 겹잎이며, 가을에 붉게 단풍이 든다. 꽃받침조각, 꽃잎, 수술이 각각 5개이다.

꽃은 황록색으로 잎겨드랑이에 취산 꽃차례로 핀다. 꽃밥은 노란색이며, 암술은 1개이다. 검은 열매는 흰 가루로 덮인다.

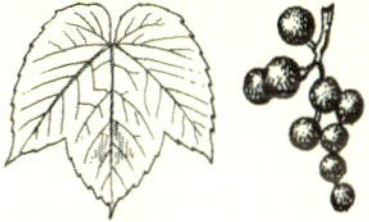

* 낙엽 덩굴식물
* 줄기 : 10m 이상
* 개화 : 7~8월
* 열매 : 액과(장과)

들꽃 이야기 *돌담이나 바위, 암벽, 나무줄기에 흡반(빨판)이 있는 덩굴손으로 붙어서 자란다. 한방에서 뿌리와 줄기를 '지금'이라고 하여 약재로 쓴다.*

대극 Euphorbia pekinensis [대극과]

뿌리줄기는 긴 덩이모양이다. 줄기에 흰 털이 있다. 잎은 어긋나고 잎자루가 없으며, 긴 타원형이고 가장자리에 확대경으로 보일 정도의 잔톱니가 있다.

꽃은 줄기 윗부분의 가지나 잎겨드랑이에 등잔모양 꽃차례를 이루며 달린다. 열매에 잔돌기가 촘촘하다.

등잔모양 꽃차례

* 여러해살이풀
* 줄기 : 20~70cm
* 개화 : 6~7월
* 열매 : 삭과

들꽃 이야기 산기슭의 풀밭에서 자란다. 맵고 쓴 뿌리를 먹으면 목구멍을 매우 자극한다고 하여 한자로 대극(大戟)이라는 이름이 붙여졌다.

대나물 Gypsophila oldhamiana [석죽과]

줄기는 털이 없고, 많은 가지가 갈라진다. 잎은 마주나고 3맥이 뚜렷하며 잎자루가 없다.

가지 끝에 흰 꽃이 원뿔 꽃차례를 이룬다. 꽃받침은 종모양이고 끝이 5개로 갈라진다. 꽃잎은 5개, 수술은 10개, 암술은 1개이고, 암술대는 2개로 갈라진다.

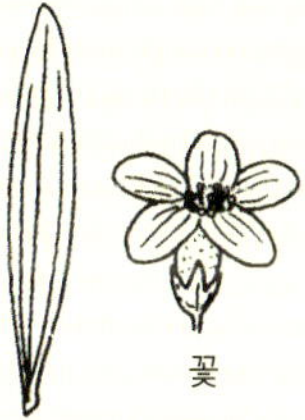

* 여러해살이풀
* 줄기 : 70~100cm
* 개화 : 6~7월
* 열매 : 삭과

들꽃 이야기

산기슭 풀밭이나 바닷가 수성암 지대의 산속에서 자란다. 같은 석죽과로, 자주색 꽃이 피고 잎의 밑부분이 줄기를 완전히 감싸는 '가는대나물'은 개성 이북에서 자란다.

독말풀 Datura stramonium [가짓과]

줄기에서 많은 가지가 갈라진다. 잎몸은 달걀모양이다. 꽃은 잎겨드랑이에서 위를 향해 핀다. 꽃부리는 흰색 또는 연한 보라색이다.

꽃이 흰색이면 줄기는 담록색이고, 꽃이 연한 보라색이면 줄기는 진한 보라색이다. 열매는 가시가 촘촘하다.

* 한해살이풀
* 줄기 : 1m 이상
* 개화 : 8~9월
* 열매 : 삭과

들꽃 이야기 *길가나 빈터에서 자란다. '만타라자, 양독말풀, 취심화, 대마자, 만타라엽, 취선도, 양종마'라고도 한다. 씨와 잎에 매우 독한 독이 있으므로 주의해야 한다.*

독활 Aralia continentalis [두릅나뭇과]

줄기가 굵다. 잎은 어긋나고, 잎몸은 2회 홀수 깃모양 겹잎이다. 작은 잎은 5~7개이고 가장자리에 잔톱니가 있다.

줄기 윗부분의 잎겨드랑이에 녹색 꽃이 원뿔 꽃차례를 이룬다. 수꽃은 꽃잎과 수술이 5개씩이고, 암꽃은 꽃잎 5개와 암술 1개가 있다.

* 여러해살이풀
* 줄기 : 1~3m
* 개화 : 7~8월
* 열매 : 액과(장과)

들꽃 이야기 산기슭에서 자란다. '땃두릅, 땅두릅'이라고도 한다. 독활은 '바람에 움직이지 않는다.'는 뜻이다. 가을에 잎이 죽은 다음 흙을 덮으면 어린순이 잘 자란다.

돌나물 Sedum sarmentosum [돌나물과]

가지는 줄기 밑부분에서 갈라져 땅 위를 기면서 벋는다. 황록색 잎은 3개가 돌려나고 드물게 마주나거나 어긋난다. 잎몸은 넓은 피침형이며 가장자리가 밋밋하다.

노란 꽃 여러 개가 줄기 끝에 산방 꽃차례를 이룬다. 꽃잎은 피침형으로 끝이 뾰족하다.

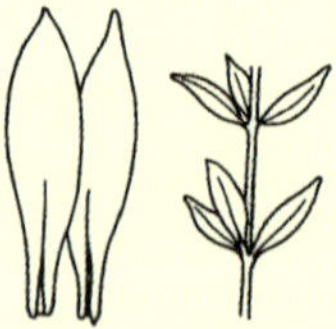

* 여러해살이풀
* 줄기 : 15cm 정도
* 개화 : 5~6월
* 열매 : 골돌과

들꽃 이야기 *산기슭 바위나 냇가, 습지 등에서 자란다. 바위나 돌이 많은 산에서 잘 자라 돌나물이라고 부른다. 어린 줄기와 잎은 김치를 담가 먹고, 어린순은 나물로 먹는다.*

돌콩 Glycine soja [콩과]

줄기는 물체에 감기면서 벋고, 갈색 털이 촘촘하다. 잎은 어긋나고 긴 자루가 있는 3출 겹잎이며, 작은 잎은 타원형이다.

나비모양의 연한 홍자색 꽃 4~5개가 잎겨드랑이에 술모양 꽃차례로 달린다. 꼬투리는 갈색 털이 촘촘하며 2~3개의 씨가 들어 있다.

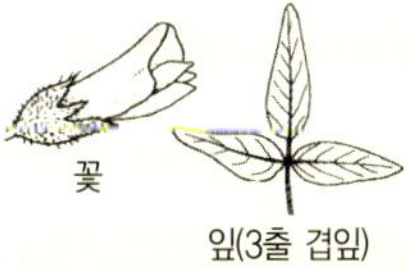

* 한해살이풀
* 줄기 : 2~3m
* 개화 : 7~8월
* 열매 : 꼬투리

들꽃 이야기 *볕이 잘 드는 풀밭이나 평지 길가에서 자란다. 열매는 콩과 비슷한 털이 많은 꼬투리이다. '야생하는 콩'이라고 하여 돌콩이라고 부른다.*

돌피 Echinochloa crusgalli [벼과]

줄기는 털이 없고 여러 개가 뭉쳐난다. 잎은 부드러우나 가장자리는 껄끄럽다.

꽃은 빽빽이 모여 원뿔 꽃차례를 이룬다. 잔이삭은 연한 녹색이다. 겉깍지(첫째 포영)의 길이는 속깍지(둘째 포영)의 1/3 정도이고 까끄라기는 매우 짧거나 거의 없다.

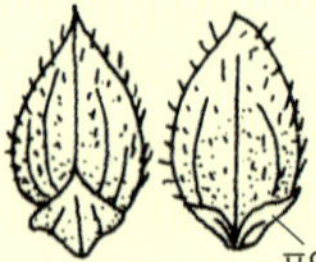

* 한해살이풀
* 줄기 : 80~100cm
* 개화 : 7~8월
* 열매 : 영과

들꽃 이야기 *길가의 빈터나 도랑에서 자란다. 털돌피는 돌피보다 키가 크고, 줄기나 잎집에 털이 있으며 까끄라기가 있는 것이 특징이다.*

둥근잎유홍초 Quamoclit angulata [메꽃과]

줄기는 가늘고 왼쪽으로 감기며 벋는다. 잎은 어긋나며, 잎몸은 심장모양 원형이다.

잎겨드랑이에 깔때기모양의 짙은 주홍색 꽃이 3~5개 핀다. 꽃받침은 깊게 5개로 갈라지고 끝이 뾰족하다. 수술대와 암술대는 주홍색, 꽃밥과 암술머리는 흰색이다.

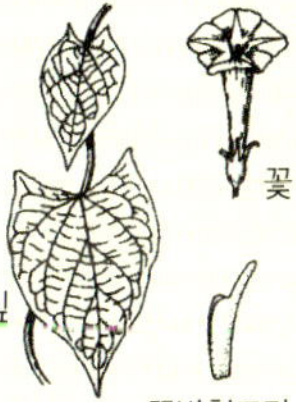

* 한해살이풀
* 줄기 : 3m 정도
* 개화 : 8~9월
* 열매 : 삭과

들꽃 이야기 *빈터에서 자란다. 잎이 잘게 깃모양으로 갈라진 것을 '유홍초' 또는 '새깃유홍초'라고 한다. 둥근잎유홍초는 유홍초(새깃유홍초)에 비해 잎이 둥글다.*

등갈퀴나물 Vicia cracca [콩과]

줄기에 털이 있다. 잎은 어긋나며 잎몸은 짝수 깃모양 겹잎이고 잎자루가 없다. 여러 갈래로 갈라진 덩굴손이 있다.

청자색의 나비모양 꽃은 잎겨드랑이에 한쪽을 향해 술모양 꽃차례를 이룬다. 꼬투리는 털이 없고 2~6개의 씨가 들어 있다.

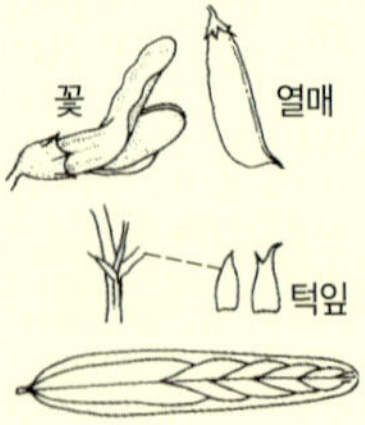

* 여러해살이풀
* 줄기 : 80~150cm
* 개화 : 5~7월
* 열매 : 꼬투리

들꽃 이야기 *볕이 잘 드는 풀밭이나 숲가에서 자란다. 등갈퀴나물은 갈퀴나물과 비슷하지만, 잎의 수가 많고 표본을 만들어도 잎의 색이 변하지 않는 특징이 있다.*

뚜깔 Patrinia villosa [마타릿과]

줄기는 곧게 서고 흰 털이 촘촘하다. 잎은 마주나고 잎몸은 깃 모양으로 갈라진다. 잎은 넓은 달걀모양 타원형으로, 윗부분의 잎이 가장 크다.

흰 꽃은 줄기나 가지 끝에 집산 꽃차례로 핀다. 꽃부리는 끝이 5개로 갈라진다. 열매는 거꿀달걀모양이다.

* 여러해살이풀
* 줄기 : 80~100cm
* 개화 : 8~10월
* 열매 : 수과

들꽃 이야기 *산기슭이나 볕이 잘 드는 풀밭에서 자란다. '뚝갈'이라고도 한다. 어린순은 나물로 먹고, 뿌리는 한방에서 염증과 통증을 없애는 약재로 쓴다.*

뚱딴지 Helianthus tuberosus [국화과]

뿌리줄기는 굵어져 덩이모양을 이룬다. 줄기는 잎과 더불어 거친 털이 있어 껄끄럽다. 잎은 마주나지만 윗부분의 잎은 어긋난다. 잎몸은 달걀모양의 긴 타원형이다.

노란 꽃은 머리모양 꽃차례로 가지 끝에 1개씩 핀다. 열매는 비늘조각모양의 돌기가 있다.

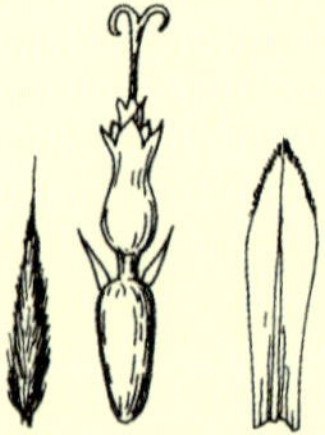

* 여러해살이풀
* 줄기 : 1.5~3m
* 개화 : 8~9월
* 열매 : 수과

들꽃 이야기

북아메리카가 원산인 귀화식물이다. '돼지감자'라고도 하는데, 덩이뿌리의 모양이 뭉툭하고 못생겼으며 수분이 많아 돼지 사료로 많이 쓰여 붙여진 이름이다.

마 Dioscorea batatas [맛과]

뿌리는 굵은 원기둥모양이다. 줄기는 물체에 감긴다. 잎은 긴 잎자루가 있고, 잎몸은 세모지며 끝은 날카롭고 뾰족하다. 잎 밑 부분은 심장모양이며 양측이 둥글게 귀모양으로 벌어 있다.

암수 그루가 다르며, 암꽃과 수꽃 모두 6개의 꽃덮이가 있다. 열매는 3개의 날개가 있다.

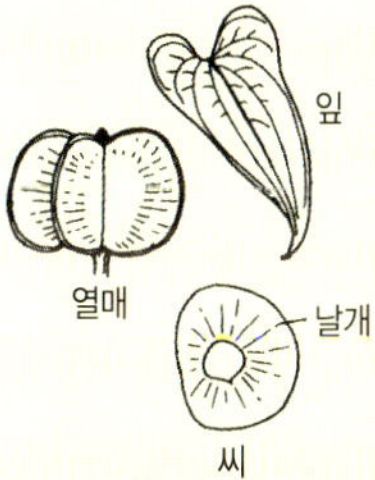

* 여러해살이풀
* 줄기 : 6~7m
* 개화 : 7~8월
* 열매 : 삭과

들꽃 이야기 *산속 햇볕이 잘 드는 숲 가장자리에서 자란다. '산우, 서여'라고도 한다. 한방에서 덩이뿌리를 '산에서 나는 약'이라는 뜻으로 '산약'이라고 하며 약재로 쓴다.*

마디풀 Polygonum aviculare [마디풀과]

줄기는 곧게 서거나 옆으로 퍼진다. 가지에 세로로 벋은 흰 줄무늬가 있다. 잎은 어긋나며, 잎자루는 없거나 극히 짧다. 잎몸은 긴 타원형이며 끝이 둔하다.

꽃은 흰색으로 잎겨드랑이에 달린다. 꽃받침은 5개로 갈라지며 꽃잎은 없다. 열매는 꽃받침에 싸여 있다.

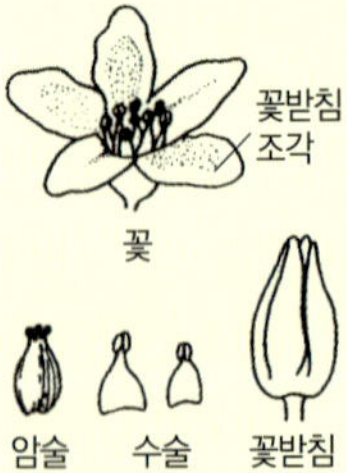

* 한해살이풀
* 줄기 : 10~40cm
* 개화 : 6~7월
* 열매 : 수과

들꽃 이야기 *볕이 잘 드는 빈터에서 자란다. 잎과 잎자루 사이에 마디가 있어 마디풀이라고 부른다. 우리나라는 물론 중국, 일본 등에서 약재로 이용하고 있다.*

마타리 Patrinia scabiosaefolia [마타릿과]

줄기는 곧게 서고 윗부분에서 많은 가지가 갈라지며 밑부분에 털이 있다. 잎은 마주나고, 잎몸은 가늘게 깃모양으로 갈라지고 양면에 털이 나며, 가장자리에는 톱니가 있다.

가지와 줄기 끝에 여러 개의 꽃이 집산 꽃차례를 이루며 노란색으로 핀다.

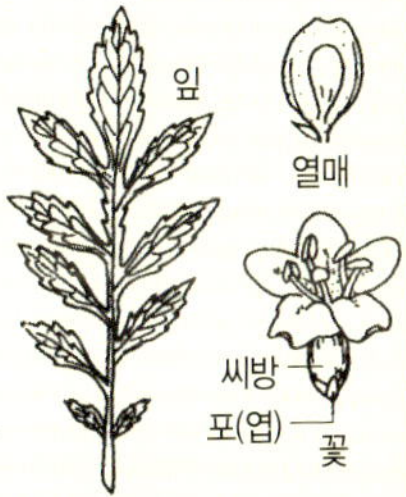

* 여러해살이풀
* 줄기 : 60~150cm
* 개화 : 8~9월
* 열매 : 수과

들꽃 이야기 *볕이 잘 드는 산기슭이나 풀밭에서 자란다. 뿌리에서 된장 썩은 냄새가 난다고 하여 '썩은 된장'이라는 뜻으로 '패장'이라고도 부른다.*

마편초 Verbena officinalis [마편초과]

줄기는 거센 잔털이 있다. 잎은 마주나고 잎자루가 있다. 잎몸은 깊게 깃모양으로 갈라지며, 앞면은 잎맥을 따라 주름져 있고 뒷면은 잎맥이 올라와 있다.

연분홍색의 작은 꽃이 가지 끝에 촘촘하게 긴 이삭모양 꽃차례를 이루며 아래에서 위로 차례대로 핀다.

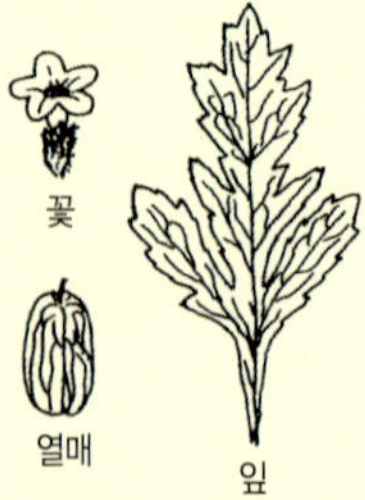

* 여러해살이풀
* 줄기 : 30~100cm
* 개화 : 6~9월
* 열매 : 분과

들꽃 이야기

울릉도, 제주도와 남해안 지방의 길가나 풀밭에서 자란다. 마디마다 피어난 연분홍색 꽃이 말채찍의 마디와 비슷하여 마편초라는 이름이 붙여졌다.

말냉이 Thlaspsi arvense [십자화과]

줄기는 털이 없고 분백색이다. 뿌리에서 난 잎은 자루가 있고, 로제트모양을 이루지만 꽃이 필 무렵 밀라 죽는다. 줄기의 잎은 자루 없이 어긋나며 밑부분은 줄기를 감싼다.

흰 꽃은 십자모양으로 줄기 끝에 술모양 꽃차례로 달린다. 열매 표면에 주름이 있다.

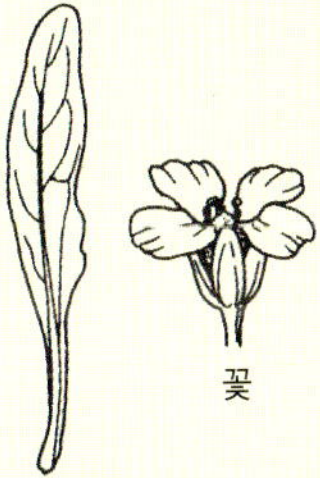

* 두해살이풀
* 줄기 : 20~50cm
* 개화 : 6~7월
* 열매 : 단각과

들꽃 이야기 *논둑, 밭둑이나 인가 주변 빈터에서 자란다. 열매가 유난히 커서 말냉이라고 부른다. 풀 이름에서 '말' 은 키가 크거나 잎 또는 열매가 클 때 붙인다.*

망초 Erigeron canadensis [국화과]

줄기는 긴 털이 촘촘하다. 뿌리에서 난 잎은 주걱모양이고 가장자리에 톱니가 있으며, 꽃이 필 때면 거의 말라 죽는다. 줄기에서 난 잎은 선모양으로 가장자리에 톱니가 적고, 뒷면 맥 위에 털이 나 있다.

줄기 윗부분의 원뿔 꽃차례에 머리모양 꽃이 달린다.

* 한두해살이풀
* 줄기 : 1~2m
* 개화 : 6~7월
* 열매 : 수과

들꽃 이야기 *들이나 길가 빈터에서 자란다. 일제 강점기에 우리나라에서 흔히 자라던 풀로, 나라가 망할 때 많이 났다고 하여 '망국초'라고 불리다가 망초가 되었다.*

맥문동 Liriope platyphylla [백합과]

뿌리줄기는 짧고 굵으며, 뿌리는 군데군데 비대하여 굵은 덩이를 이룬다. 잎은 짙은 녹색으로 선모양이며 여러 개가 뭉쳐난다.

꽃은 이삭 꽃차례를 이루며 연한 자색으로 핀다. 열매는 일찍 껍질이 터지며, 흑자색 씨가 마치 열매같이 보인다.

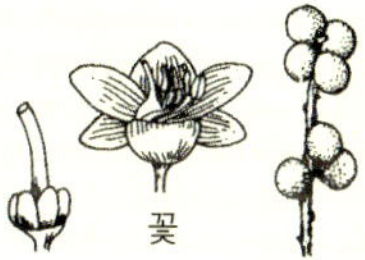

* 여러해살이풀
* 줄기 : 30~50cm
* 개화 : 7~8월
* 열매 : 액과(장과)

들꽃 이야기

울릉도, 제주도와 충청도 이남 산중턱 아래 숲 속에서 자란다. '뿌리줄기가 보리를 닮고, 겨울에도 얼어 죽지 않는 풀'이라고 하여 맥문동이라는 이름이 붙여졌다.

맨드라미 Celosia cristata [비름과]

줄기는 굵고 곧게 서며, 털이 없고 적자색인 경우가 많다. 잎은 마주나며 잎자루는 길다. 잎몸은 달걀모양 피침형이다.

줄기 끝에 편평하고 폭이 넓은 끝이 닭볏처럼 생긴 꽃차례에 여러 개의 작은 비늘조각 같은 꽃이 붉은색, 노란색, 흰색 등으로 달린다.

* 한해살이풀
* 줄기 : 60~90cm
* 개화 : 7~8월
* 열매 : 포과

들꽃 이야기 *'계관, 계두'라고도 한다. 열매는 익으면 뚜껑같이 윗부분이 열리면서 검은 씨가 나온다. 줄기 높이, 볏의 색이나 모양, 크기 등에 변화가 많다. 꽃말은 '열정'이다.*

메귀리 Avena fatua [볏과]

줄기 속이 비어 있다. 잎은 길이 10~30cm, 폭 1~1.5cm이다. 담록색 잔이삭은 1개씩 밑을 향해 달리는데, 잔이삭은 2~3개의 잔꽃으로 이루어지며, 익으면 쉽게 떨어진다.

겉겨는 부드러운 털이 있고, 길이 2cm 정도의 구부러진 긴 까끄라기가 있다.

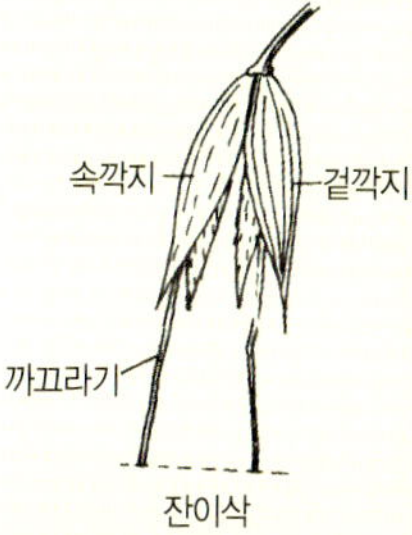

* 두해살이풀
* 줄기 : 30~100cm
* 개화 : 5~6월
* 열매 : 영과

들꽃 이야기 *밭이나 길가, 평지 풀밭, 강둑에서 자란다. '에귀리'라고도 한다. 귀리의 원종으로 알려져 있으며, 전 세계에 널리 귀화한 식물이다. 구황식물로 이용한다.*

메꽃 Calystegia japonica [메꽃과]

줄기는 왼쪽으로 감기면서 벋는다. 잎은 어긋나고 잎자루가 길다. 잎몸은 끝이 둔하고 밑부분은 화살촉모양으로 좌우로 벋는다.

잎겨드랑이에 깔때기모양의 분홍색 꽃이 1개씩 달리며 햇빛을 받으면 핀다. 열매는 맺지 않으며 땅속줄기로 번식한다.

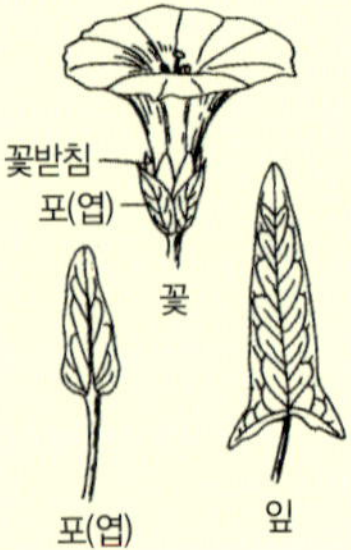

* 여러해살이풀
* 줄기 : 3~4m
* 개화 : 6~8월
* 열매 : 맺지 않음

들꽃 이야기 *들이나 밭둑, 빈터에서 자란다. 여름에 나팔꽃처럼 생긴 꽃이 낮에 피고 저녁에 시든다. 뿌리줄기는 '메, 속근근'이라고 하여 약용하거나 어린잎과 함께 먹는다.*

며느리밑씻개 Persicaria senticosa [마디풀과]

줄기의 밑을 향한 날카로운 가시로 물체에 붙는다. 잎몸은 삼각형이고 잎자루에 가시가 있다. 턱잎은 줄기를 감싼다.

꽃은 줄기 끝에 모여 피며, 연분홍색 꽃받침은 열매를 감싼다. 수술 8개, 암술 1개이다. 열매는 둥글고 끝이 뾰족하며 검게 익는다.

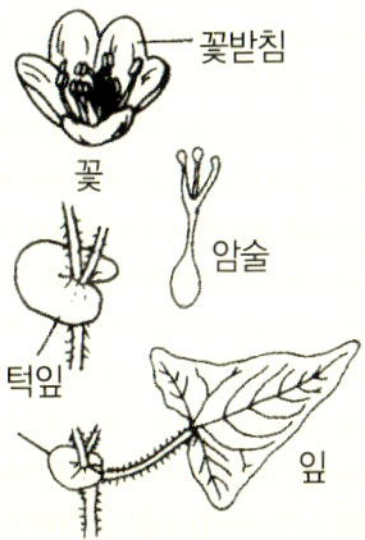

* 한해살이풀
* 줄기 : 4~5m
* 개화 : 7~8월
* 열매 : 수과

들꽃 이야기 *길가나 빈터, 물가에서 자란다. 옛날 어떤 시어머니가 며느리가 미워서 가시가 많이 난 이 풀의 잎을 화장실 휴지로 쓰게 했다는 이야기가 전한다.*

며느리배꼽 Persicaria perfoliata [마디풀과]

줄기는 길게 벋어 가지를 치며, 줄기의 밑을 향한 날카로운 가시로 물체에 달라붙는다. 잎은 어긋나고 잎몸은 삼각형이다.

줄기 끝에 여러 개의 꽃이 이삭모양 꽃차례를 이룬다. 꽃잎은 없고, 꽃받침은 백록색이며 깊게 5개로 갈라진다. 검은 열매는 익으면 파랗게 변한다.

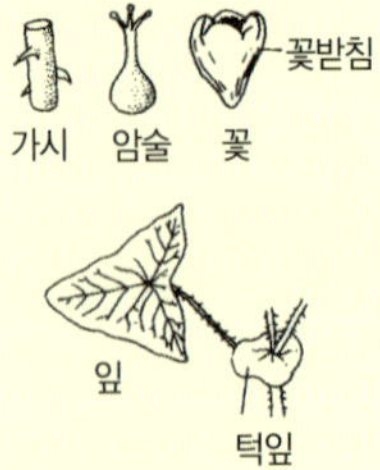

* 한해살이풀
* 줄기 : 4~5m
* 개화 : 7~8월
* 열매 : 수과

들꽃 이야기 길가나 빈터에서 자란다. 접시처럼 오목하게 생긴 턱잎이 배꼽처럼 생겼다고 하여 며느리배꼽이라는 이름이 붙여졌다.

명아주 Chenopodium album var. centrorubrum [명아줏과]

전체가 분백색 가루로 덮여 있으며, 줄기는 백록색 줄무늬가 뚜렷하다. 잎은 어긋나며, 어릴 때 붉은빛이 돈다. 잎 끝은 뾰족하고 밑부분은 편평하다.

꽃은 이삭 모양 꽃차례를 이룬다. 꽃잎은 없고 꽃받침은 황록색이며 깊게 5개로 갈라지고 꽃자루는 없다.

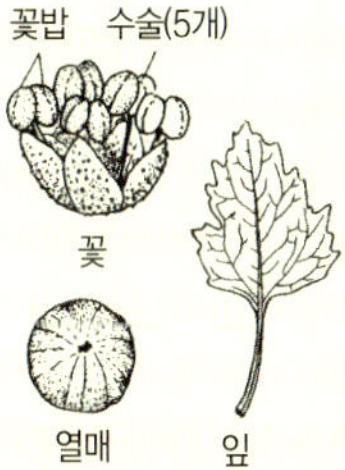

* 한해살이풀
* 줄기 : 1m 정도
* 개화 : 6~7월
* 열매 : 포과

들꽃 이야기 *빈터나 길가에서 자란다. '는장이'라고도 한다. 어린순은 나물로 먹고, 민간에서 생즙은 독이 있는 벌레에 물렸을 때 바르면 효과가 있다고 하여 이용한다.*

모시풀 Boehmeria nivea [쐐기풀과]

많은 땅속줄기가 있으며, 곧게 자라는 줄기는 뭉쳐난다. 잎은 어긋나고 둥근 달걀모양이며 긴 잎자루가 있다. 잎 뒷면과 잎자루에 흰 잔털이 빽빽이 난다.

엷은 녹색의 암수꽃은 같은 그루에 피는데, 암꽃이삭은 줄기 위쪽에, 수꽃이삭은 아래쪽에 달리며 수꽃이 먼저 핀다.

잎

* 여러해살이풀
* 줄기 : 1.5~2m
* 개화 : 7~8월
* 열매 : 수과

들꽃 이야기 *습기가 많고 따뜻한 곳에서 자란다. 우리나라에서는 고려시대부터 재배되었다. 목화가 도입되기 전까지 극동 지방의 중요한 섬유작물이었다. '저마'라고도 한다.*

무궁화 Hibiscus syriacus [아욱과]

곧게 자라는 줄기에서 많은 가지가 갈라진다. 잎은 어긋나고 잎몸은 타원형 또는 마름모모양의 달걀형이다. 잎 끝은 3개로 갈라지고, 밑부분은 쐐기모양이다.

꽃은 잎겨드랑이에 자홍색 또는 흰색으로 1개씩 달린다. 수술은 뭉쳐 대롱모양을 이루고, 그 사이에 암술대가 1개 벋는다.

꽃

* 낙엽 관목
* 줄기 : 3~4m
* 개화 : 8~9월
* 열매 : 삭과

들꽃 이야기 *중국 또는 인도 원산이다. '근화' 또는 '목근'이라고도 한다. 목근화가 무긴화, 무깅화, 무궁화로 변했으며, '無窮花(무궁화)'의 한자음을 빌어서 이름을 표기하게 되었다.*

무릇 Scilla scilloides [백합과]

비늘줄기는 길이 2~3cm이고, 겉껍질은 흑갈색이다. 잎은 2개씩 밑부분에서 마주나며, 잎몸은 선모양이다.

꽃은 꽃줄기 끝에 술모양 꽃차례를 이룬다. 6개의 분홍색 또는 흰색 꽃덮이조각은 꽃이 핀 후에도 열매 밑에 남아 있다. 열매는 세로로 갈라진다.

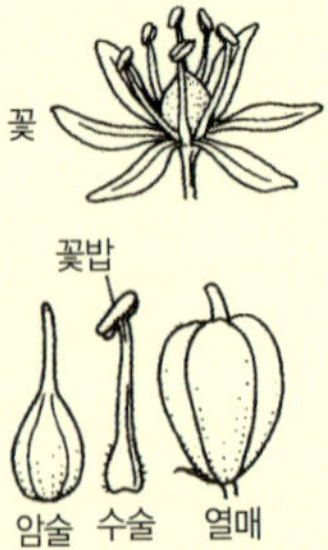

* 여러해살이풀
* 줄기 : 30~50cm
* 개화 : 7~8월
* 열매 : 삭과

들꽃 이야기

볕이 잘 드는 평지 풀밭이나 산기슭에서 자란다. 대나무 대신 복조리를 만들 정도로 꽃줄기가 매우 튼튼하다. 꽃말은 '강한 자제력, 자랑'이다.

물레나물 Hypericum ascyron [물레나물과]

줄기는 네모지고 곧게 선다. 잎은 마주나고 가장자리가 밋밋하다. 잎자루가 없으며 잎몸 밑부분은 줄기를 둘러싼다.

노란색 꽃은 줄기나 가지 끝에 1개씩 위를 향해 핀다. 꽃받침조각은 5개의 맥이 뚜렷하다. 꽃잎은 한쪽으로 구부러져 좌우 비대칭이다.

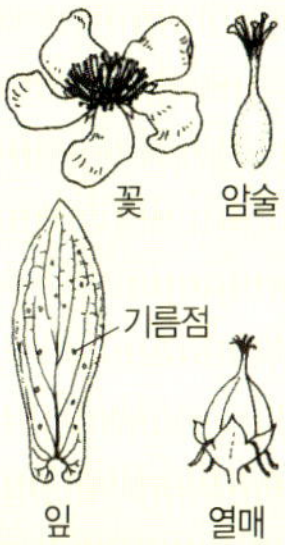

* 여러해살이풀

* 줄기 : 50~150cm

* 개화 : 7월

* 열매 : 삭과

들꽃 이야기 *산기슭이나 풀밭에서 자란다. 바람개비처럼 생긴 꽃이 실을 뽑는 물레와 닮았다고 하여 물레나물이라고 부른다. 쓴맛이 나지 않아 나물로 먹는다.*

미국자리공 Phytolacca americana [자리공과]

줄기는 지름 5cm 정도이며 가지는 홍색이다. 잎은 어긋나고 털이 없으며, 잎몸은 타원형이고 가장자리가 밋밋하다.

지름 약 5mm의 흰 꽃은 술모양 꽃차례를 이룬다. 꽃받침조각은 5개이고 꽃잎은 없다. 녹색 열매는 익으면 검은색으로 변한다.

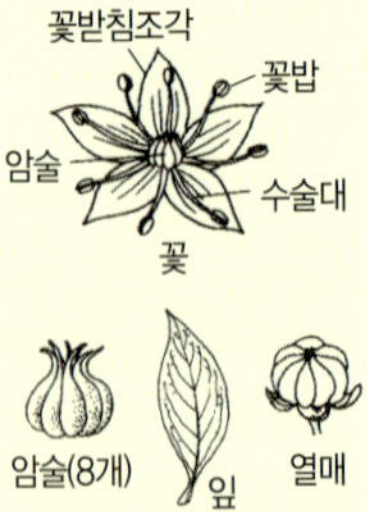

* 여러해살이풀
* 줄기 : 1.5m 정도
* 개화 : 6~9월
* 열매 : 액과(장과)

들꽃 이야기

마을 주변이나 길가, 산기슭에서 자란다. 열매에 옷감, 종이 등을 물들이는 데 쓰는 붉은 염료가 들어 있다. 어린 줄기는 껍질을 벗긴 다음 익혀서 먹는다.

바늘사초 Carex onoei [사초과]

줄기는 가늘며, 전체적으로 부드럽지만 윗부분은 껄끄럽다. 잎은 폭 1.5~3mm로 실같이 가늘다.

연한 녹색의 잔이삭은 줄기 끝에 1개씩 달리는데, 윗부분에 수꽃이 있고 그 밑에 암꽃이 있다. 잔이삭은 둥글고, 갈색을 띠는 녹색이다.

과포

비늘조각

* 여러해살이풀
* 줄기 : 10~25cm
* 개화 : 6~7월
* 열매 : 수과

들꽃 이야기

산기슭의 응달진 습지에서 자란다. 사초과에 속하는 풀로, 잎이 바늘처럼 매우 가늘고 좁아서 바늘사초라는 이름이 붙여졌다.

바랭이 Digitaria sanguinalis [볏과]

줄기는 밑부분이 땅을 기며 윗부분은 곧게 서고, 마디에서 뿌리가 난다. 잎은 길이 8~20cm, 폭 5~15cm이다.

꽃차례 가운데에서 가지 3~8개가 사방으로 갈라진다. 가지마다 잔이삭이 한쪽으로 늘어선다. 잔이삭은 피침형이며, 자루가 있는 것과 없는 것이 있다.

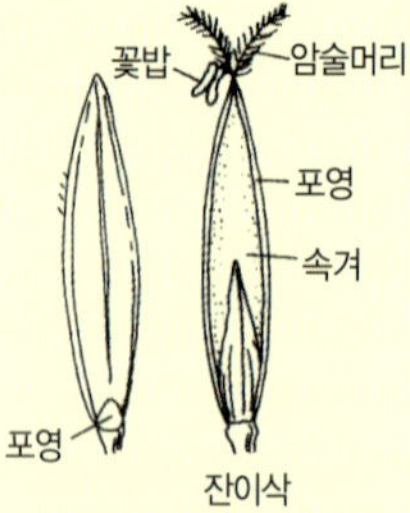

* 한해살이풀
* 줄기 : 30~70cm
* 개화 : 7~8월
* 열매 : 영과

들꽃 이야기 *경작지나 길가에서 자란다. 털이 있고 없는 것은 개체 변이일 뿐이므로, 같은 풀 또는 같은 꽃차례에서 여러 종류의 털이 섞여 나기도 한다.*

박주가리 Metaplexis japonica [박주가릿과]

풀을 자르면 흰 유액이 나온다. 잎은 마주나고 긴 잎자루가 있다. 잎몸은 심장모양이며 양쪽이 귀모양으로 끝이 뾰족하다.

잎겨드랑이의 긴 꽃자루에 연보라색 꽃 여러 개가 술모양 꽃차례로 핀다. 열매에 혹 같은 돌기가 있다. 씨 위쪽에 명주실 같은 긴 흰 털이 촘촘하다.

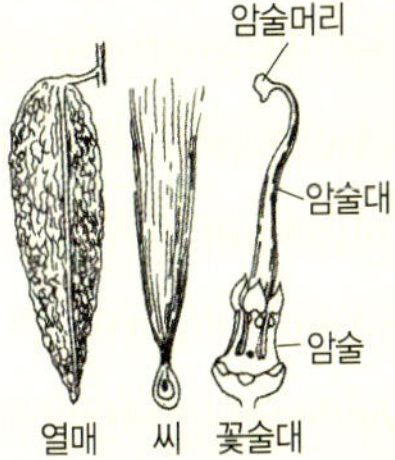

* 여러해살이풀

* 줄기 : 3m 정도

* 개화 : 7~8월

* 열매 : 골돌과

들꽃 이야기 *볕이 잘 드는 풀밭이나 길가, 산기슭에서 자란다. 익어서 벌어진 열매 모양이 마치 조그만 바가지 같다. 씨의 털은 도장밥(인주)과 바늘쌈지를 만드는 데 쓴다.*

방가지똥 Sonchus oleraceus [국화과]

줄기를 자르면 흰 유액이 나오며, 속이 비어 있다. 잎은 끝이 뾰족하고 가장자리에 날카로운 가시가 있으며, 잎자루가 없다.

노란색 혀꽃만으로 이루어진 머리모양 꽃차례가 줄기 끝에 여러 개 달린다. 꽃자루에 끈끈한 샘털이 있다. 열매에 그물눈 무늬의 주름이 있다.

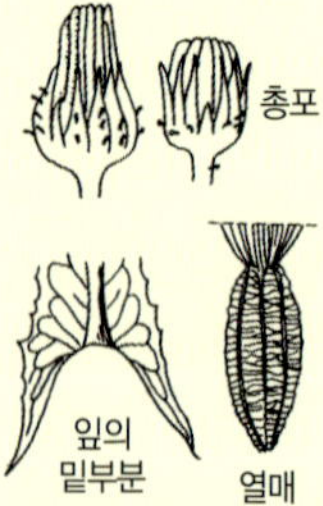

* 두해살이풀
* 줄기 : 50~100cm
* 개화 : 5~9월
* 열매 : 수과

들꽃 이야기

빈터에서 자란다. '방가지풀'이라고도 한다. 방가지는 방아깨비의 잘못된 표현으로, 줄기에서 나오는 흰 유액이 방아깨비의 똥 같아 붙여진 이름인 듯하다.

백일홍 Zinnia elegans [국화과]

줄기 속이 비어 있다. 줄기 윗부분에서 가지가 갈라지며 잔털이 흩어져 있다. 잎자루 없이 잎몸 밑부분이 줄기를 감싸듯 마주나며, 잎몸은 긴 달걀모양이다.

가지 끝에 머리모양 꽃이 핀다. 혀꽃은 붉은색, 자주색, 노란색, 흰색 등이며 대롱꽃은 자주색 또는 노란색이다.

꽃

* 한해살이풀
* 줄기 : 60~90cm
* 개화 : 6~10월
* 열매 : 수과

들꽃 이야기 *'백일초'라고도 한다. 꽃이 100일 동안 붉게 피어 붙여진 이름이다. 꽃말(흰 꽃)은 '순결'이다. 원래 잡초였는데 개량되어 지금의 모습이 되었다.*

벌노랑이 Lotus corniculatus var. japonicus [콩과]

줄기는 땅을 기거나 비스듬히 선다. 잎은 어긋나며, 잎몸은 3출 겹잎이다. 작은 잎은 길이 7~10mm이며, 같은 모양과 크기의 턱잎이 2개 있어 5개의 잎처럼 보인다.

잎겨드랑이에 나비모양의 노란 꽃이 달린다. 꼬투리에 약 20개의 흑갈색 씨가 있다.

* 여러해살이풀
* 줄기 : 15~35cm
* 개화 : 6~8월
* 열매 : 꼬투리

들꽃 이야기

산기슭이나 볕이 잘 드는 길가, 바닷가 풀밭에서 자란다. '별노랑이'라고도 한다. 잎겨드랑이에서 나온 꽃줄기 끝에 유별나게 노란 빛깔의 꽃이 피어나 붙여진 이름이다.

범부채 Belamcanda chinensis [붓꽃과]

뿌리줄기가 옆으로 벋으며, 줄기는 곧게 선다. 잎은 줄기 밑부분에서 어긋나고 흰색을 띤다. 잎몸은 칼모양으로 납작하고 끝이 뾰족하다.

황적색 바탕에 짙은 암적색 반점이 있는 꽃이 줄기 끝에 여러 개 핀다. 씨는 광택이 나는 검은색이다.

* 여러해살이풀
* 줄기 : 1~1.5m
* 개화 : 7~8월
* 열매 : 삭과

들꽃 이야기 *산기슭 풀밭에서 자란다. 주황색 바탕에 짙은 반점이 있어 마치 범의 무늬처럼 보이고, 여섯 개의 꽃잎이 부챗살처럼 활짝 펼쳐져 범부채라는 이름이 붙여졌다.*

벼 Oryza stiva [볏과]

뿌리에서 줄기가 갈라진다. 잎은 가늘고 길며 끝이 서서히 좁아지며, 밑부분은 줄기를 감싼다. 줄기 끝에 이삭이 생겨 꽃이 달리고, 열매인 낟알이 익는다.

꽃은 줄기 끝에 원추 꽃차례로 피고 암술은 1개, 수술은 3개 있다. 꽃잎은 없고 꽃술을 싸는 겉껍질과 속껍질의 영이 있다.

잔이삭

* 한해살이풀
* 줄기 : 50~100cm
* 개화 : 8~9월
* 열매 : 영과

들꽃 이야기 *동인도 원산의 식용 작물로 논이나 밭에 심는다. 가을에 열매로 익는 것을 '벼', 이것을 찧은 것을 '쌀'이라고 한다. 쌀로 밥이나 죽, 떡, 과자, 술 등을 만든다.*

별꽃아재비 Galinsoga parviflora [국화과]

열대 아메리카가 원산인 귀화식물이다. 털별꽃아재비와 비슷하지만, 줄기가 곧게 서며 털이 적다. 잎 가장자리의 톱니는 얕게 파인 물결모양이다.

대롱꽃에만 갓털이 있고, 혀꽃에는 갓털이 없다. 갓털은 빗살모양으로 갈라지며, 양측의 털이 길다.

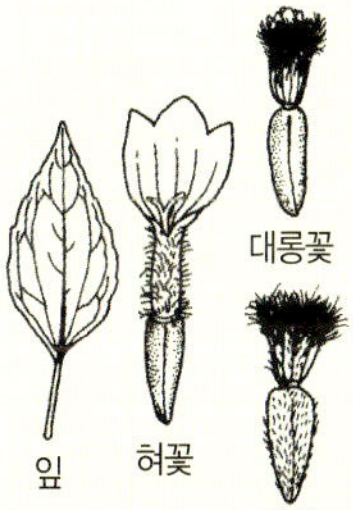

* 한해살이풀
* 줄기 : 40~60cm
* 개화 : 6~8월
* 열매 : 수과

들꽃 이야기 *도시 주변의 빈터나 집 주변에서 흔하게 볼 수 있다. 털별꽃아재비와 비교하면, 별꽃아재비는 털별꽃아재비에 비해 꽃과 잎에 털이 없는 것이 특징이다.*

병아리풀 Polygala triphylla [원지과]

줄기 밑부분에서 2~3개의 가지가 갈라진다. 잎은 어긋나고 잎자루 양측에 좁은 날개가 있다. 잎몸은 원형 또는 타원형이고, 가장자리는 밋밋하다.

꽃은 연한 자주색으로 가지 끝이나 잎겨드랑이에 술모양 꽃차례를 이루어 달린다. 열매는 편평하고 끝이 뾰족하다.

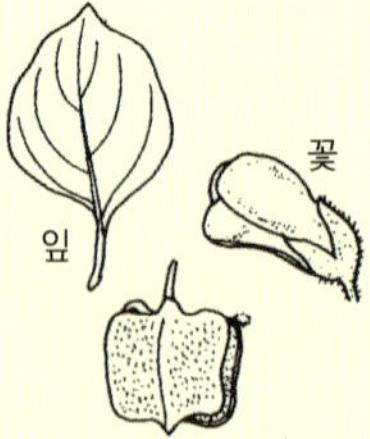

* 한해살이풀
* 줄기 : 4~10cm
* 개화 : 8~9월
* 열매 : 삭과

들꽃 이야기

호남 지방과 강원도 이북의 산기슭 풀밭에서 자란다. 꽃이 아주 작아 병아리풀이라고 부른다. 꽃 이름에 붙은 '병아리'는 작고 왜소함을 나타낸다.

봉선화 Impatiens balsamina [봉선화과]

잎은 어긋나고 잎몸은 피침형이며 양 끝이 좁고 가장자리에 톱니가 있다.

분홍, 빨강, 주홍, 보라, 흰 꽃이 2~3개씩 잎겨드랑이에 달리고, 좌우로 넓은 꽃잎이 퍼진다. 수술은 5개이고 꽃밥이 서로 연결되어 있다. 열매는 익으면 터지면서 씨가 튀어나온다.

꽃

* 한해살이풀
* 줄기 : 30~60cm
* 개화 : 6월
* 열매 : 삭과

들꽃 이야기 *햇볕이 드는 곳이나 습지에서 잘 자란다. '봉숭아'라고도 하며, 예부터 손톱에 물들이는 데 쓰였다. 줄기와 가지 사이에 핀 꽃이 봉(鳳)을 닮아 붙여진 이름이다.*

부추 Allium tuberosum [백합과]

파나 마늘 냄새가 난다. 비늘줄기는 황갈색 섬유질로 덮여 있다. 잎은 선모양이다.

꽃줄기 끝에 많은 꽃이 우산모양 꽃차례로 핀다. 꽃자루는 길이 1.5~3.5cm이다. 꽃덮이조각은 6개이며 순백색이다. 열매는 익으면 3개로 갈라지며 검은 씨가 있다.

꽃

* 여러해살이풀
* 줄기 : 30~50cm
* 개화 : 7~8월
* 열매 : 삭과

들꽃 이야기

산과 들에서 자란다. 경상도에서는 '정구지'라고 부르고, 충청도에서는 솔잎을 닮았다고 하여 '솔'이라고 부른다. 씨는 한방에서 '구자'라고 하여 약재로 쓴다.

분꽃 Mirabilis jalapa [분꽃과]

가지가 많이 갈라진다. 마디가 통통하며 잔털이 있다. 잎은 짙은 녹색이며 마주나고 가장자리가 밋밋하다.

붉은색, 노란색, 흰색 꽃이 가지 끝에 취산 꽃차례를 이룬다. 꽃잎 같은 나팔모양의 꽃받침 밑부분에 5개의 수술과 1개의 암술이 길게 밖으로 벋어난다.

* 한해살이풀
* 줄기 : 60~100cm
* 개화 : 6~11월
* 열매 : 수과

들꽃 이야기 *멕시코 원산으로, 관상용으로 심는다. '분화, 자미리, 초미리, 자화분'이라고도 한다. 씨에 있는 배젖이 분가루 같아서 분꽃이라는 이름이 붙여졌다. 한방에서 뿌리를 약재로 쓴다.*

붉은토끼풀 Trifolium pratense [콩과]

줄기 전체에 털이 있다. 잎은 어긋나고 잎몸은 3출 겹잎이다. 작은 잎은 긴 타원형으로, 앞면에 흰 무늬가 있고 가장자리는 밋밋하다.

분홍색 꽃이 줄기 끝에 머리 모양 꽃차례로 핀다. 꽃받침은 대롱모양이며 털이 많다. 꼬투리는 털이 없고 씨가 1개 있다.

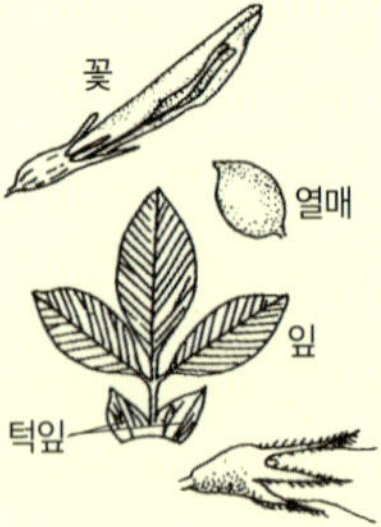

* 여러해살이풀
* 줄기 : 30~60cm
* 개화 : 6~7월
* 열매 : 꼬투리

들꽃 이야기

평지 길가나 풀밭에서 자란다. '홍차축조, 붉은토끼풀꽃, 홍삼엽, 금화채'라고도 한다. 토끼풀의 한 종으로 붉은 꽃이 피어 붉은토끼풀이라고 부른다.

비노리 Eragrostis multicaulis [벼과]

줄기는 가늘고 털이 없으며 비스듬히 서고, 잎에도 털이 없다.

꽃은 줄기 끝에 원뿔 꽃차례를 이룬다. 잔이삭은 4~8개의 잔꽃으로 이루어지며, 적자색이 도는 연한 녹색이다. 겉깍지(첫째 포영)와 속깍지(둘째 포영)가 있으며, 겉겨(호영)는 넓은 달걀모양이다.

* 한해살이풀
* 줄기 : 10~30cm
* 개화 : 7~8월
* 열매 : 영과

들꽃 이야기 *볕이 잘 드는 평지 길가나 풀밭에서 자란다. 같은 벼과에 속한 큰비노리와 생김새가 비슷하지만, 꽃이삭의 가지와 잎집에 털이 없는 점이 다르다.*

뽕모시풀 Fatoua villosa [뽕나뭇과]

줄기는 곧게 서며 잔털이 촘촘히 나 있고, 녹색 또는 짙은 자색을 띤다. 잎은 어긋나며, 앞면과 뒷면이 껄끄럽고 가장자리에 톱니가 있다.

잎겨드랑이에 암꽃과 수꽃이 둥근 덩이모양으로 섞여 난다. 열매는 길이 1mm 정도로 흰색이며 다액질이다.

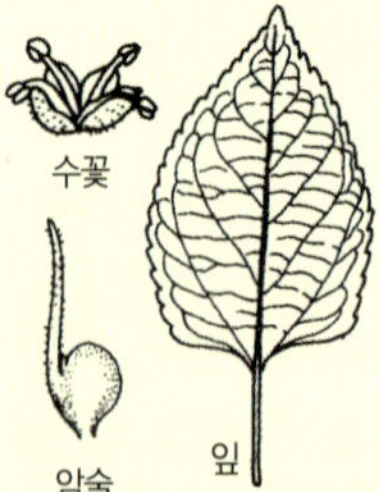

* 한해살이풀
* 줄기 : 30~80cm
* 개화 : 8~9월
* 열매 : 수과

들꽃 이야기

숲가나 그늘진 빈터에서 자란다. 뽕잎풀이라고도 한다. 우리나라에서 자라는 뽕나뭇과 식물 중에서 유일한 초본(풀) 식물이다.

사루비아 Salvia splendens [꿀풀과]

줄기에서 가지가 갈라진다. 잎은 마주나고, 잎몸은 달걀모양이며 끝이 뾰족하다.

가지 끝에 입술모양 꽃이 술모양 꽃차례로 수평하게 또는 밑을 향해 핀다. 포엽, 꽃받침, 꽃부리 모두 진홍색이다. 종모양의 꽃받침은 아래위 2개로 갈라진다. 열매는 꽃받침 속에 있다.

꽃

* 한해살이풀

* 줄기 : 60~90cm

* 개화 : 6~10월

* 열매 : 분과

들꽃 이야기 *브라질 원산이며 원산지에서는 여러해살이풀이다. 관상용으로 많이 심는다. '샐비어, 약불꽃, 서미초'라고도 한다. 생김새가 깨와 비슷하여 '깨꽃'이라고도 부른다.*

사상자 Torilis japonica [산형과]

줄기에 밑을 향한 잔털이 있다. 잎은 어긋나고 잎몸은 3출 겹잎이며, 긴 잎자루 밑부분은 줄기를 감싼다.

가지마다 흰색을 띠는 작은 꽃이 겹우산모양 꽃차례로 피며, 꽃잎은 안쪽으로 구부러진다. 5개의 수술과 1개의 암술이 있으며 암술대는 2개이다.

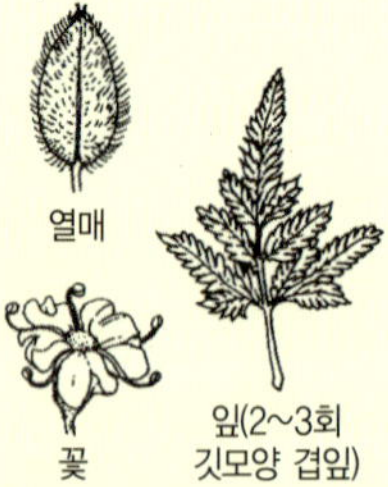

* 두해살이풀
* 줄기 : 30~70cm
* 개화 : 6~7월
* 열매 : 분과

들꽃 이야기 *산기슭 응달이나 숲 속에서 자란다. '뱀도랏'이라고도 한다. 어린순은 나물로 먹고, 열매는 7월에 따서 햇볕에 말린 것을 염증을 없애는 등의 약재로 쓴다.*

산부추 Allium thunbergii [백합과]

비늘줄기 겉은 노란색을 띤다. 꽃줄기 밑부분에 원통모양의 잎이 2~3개 어긋나고, 밑부분은 잎집으로 줄기를 감싼다.

자홍색 꽃은 꽃줄기 끝에 우산모양 꽃차례를 이룬다. 꽃덮이조각은 6개이고 긴 타원형이며 끝이 뾰족하다. 수술은 6개로, 꽃 밖으로 벋어난다.

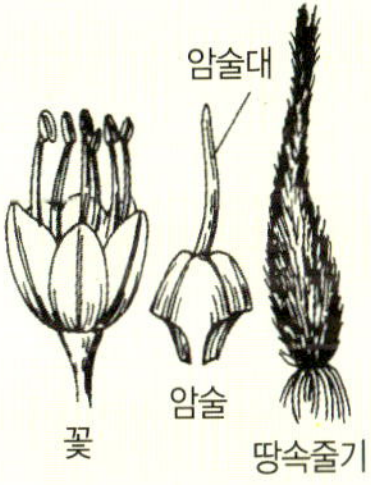

* 여러해살이풀
* 줄기 : 30~60cm
* 개화 : 8~9월
* 열매 : 삭과

들꽃 이야기 경기도, 강원도 이남의 산기슭 풀밭에서 자란다. 부추의 한 종으로 산에서 자란다고 하여 붙여진 이름이다. 마늘 냄새가 나는 비늘줄기와 연한 부분은 먹는다.

산뽕나무 Morus bombycis [뽕나뭇과]

나무껍질은 회갈색을 띠며, 세로로 불규칙하게 갈라진다. 잎은 어긋나며, 잎 앞면은 껄끄럽고 뒷면은 주맥에 흰 털이 있다. 잎몸 밑부분이 비대칭으로 깊게 파이기도 한다.

꽃잎이 없고 수술 4개, 암술 1개가 있다. 여러 개의 꽃이 이삭 모양 꽃차례를 이룬다.

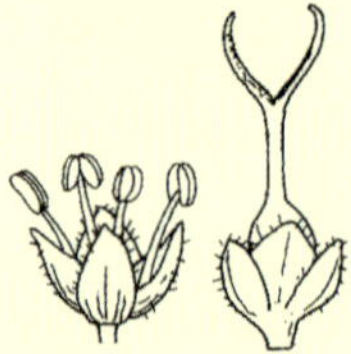

* 낙엽 교목
* 줄기 : 10~12m
* 개화 : 6월
* 열매 : 집합과(취과)

들꽃 이야기

논, 밭둑이나 산기슭 양지에서 자란다. 잎 끝이 길게 발달한 '꼬리뽕', 잎이 깃꼴로 갈라진 '좁은잎뽕', 잎이 5개 정도로 갈라진 '가새뽕', 바닷가에서 자라는 '섬뽕' 등이 있다.

산세비에리아 Sansevieria nilotica [백합과]

뿌리는 짧고 두껍다. 잎은 좁고 길다. 잎은 육질이고 초록색 바탕에 잿빛 녹색의 불규칙한 얼룩 줄이 있다.

잎의 2/3 정도의 부분에서 가장 폭이 넓어지고 끝은 뾰족하다. 잎 가장자리에 복륜무늬가 있다. 포기나누기 등으로 번식시킨다.

잎

* 여러해살이풀
* 줄기 : 1m 정도
* 개화 : 7~8월

들꽃 이야기

아프리카, 인도 원산이다. '천년란'이라고도 한다. 원산지에서는 중요한 섬유 자원의 하나이다. 잎에서 추출한 섬유로 로프나 활시위 등을 만든다. 꽃말은 '관용'이다.

산조풀 Calamagrostis epigeios [볏과]

짧은 뿌리줄기가 있다. 잎은 양면이 껄끄럽다. 원뿔 꽃차례는 곧게 서고, 잔이삭은 1개의 잔꽃으로 이루어진다.

잔꽃 밑부분에 난 길이 5mm의 흰 털이 겉겨(호영) 위로 곧게 벋어 있다. 겉겨는 길이 3mm 정도이며, 3맥이 있고 짧은 까끄라기가 있다.

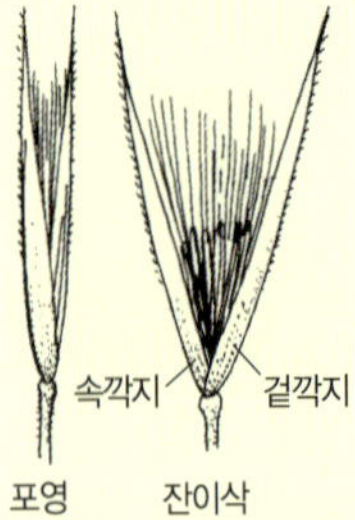

* 여러해살이풀
* 줄기 : 1m 정도
* 개화 : 6~7월
* 열매 : 영과

들꽃 이야기

볕이 잘 드는 풀밭이나 숲가, 강가 모래땅에서 자란다. 2008년 람사르 습지로 지정, 등록된 강원도 오대산 질뫼늪에 서식하고 있다.

산해박 Cynanchum paniculatum [박주가릿과]

줄기는 가늘고 곧게 서며 매끄럽다. 잎은 마주나고, 양끝이 날카롭게 뾰족하며 가장자리가 밋밋하다.

황갈색 꽃은 집산 꽃차례를 이루며, 아침에 피고 해가 뜨면 닫힌다. 꽃받침과 꽃부리는 각각 5개로 깊게 갈라진다. 열매는 뿔모양, 씨는 달걀모양이다.

* 여러해살이풀
* 줄기 : 60~70cm
* 개화 : 8~9월
* 열매 : 골돌과

들꽃 이야기

산기슭 풀밭에서 자란다. 한방에서 뿌리를 '서장경'이라고 하여 약재로 쓰는데, 혈압과 고지혈증을 치료하고 진통, 진정, 항균 효과가 있다.

살갈퀴 Vicia angustifolia var. segetilis [콩과]

줄기 밑부분에서 가지가 갈라지고 덩굴손은 세 갈래로 갈라진다. 잎은 어긋나고 짝수 깃모양 겹잎이며, 작은 잎은 타원형으로 10~14개로 이루어진다.

홍자색의 나비모양 꽃은 잎겨드랑이에 달린다. 꽃받침은 5개로 갈라지며 끝이 예리하게 뾰족하다.

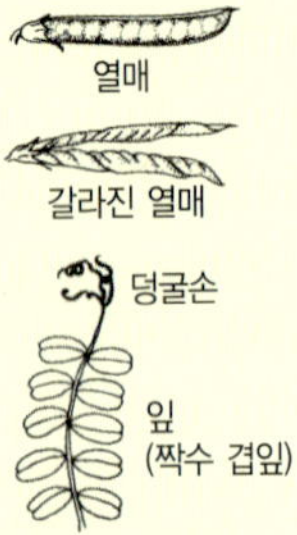

* 두해살이풀
* 줄기 : 80~150cm
* 개화 : 6~7월
* 열매 : 꼬투리

들꽃 이야기 *산기슭의 풀밭이나 밭둑에서 자란다. 산에서 자라는 갈퀴라는 뜻에서 '산갈퀴'라고 불리다가 시간이 지나면서 살갈퀴가 된 것으로 짐작된다.*

삼잎국화 Rudbekia laciniata [국화과]

줄기는 곧게 선다. 잎은 어긋나며 잎몸은 5~7개로 갈라지고, 뒷면에 털이 있다.

줄기마다 머리모양 꽃이 1개씩 달린다. 혀꽃은 노란색으로 10~14개가 밑으로 처지고, 대롱꽃은 황록색이다. 꽃턱은 반원형으로 솟아 있으며, 위쪽에 주걱모양의 비늘조각이 있다.

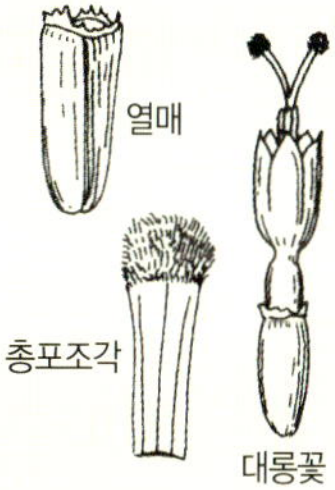

* 두해살이풀

* 줄기 : 1m 정도

* 개화 : 7~9월

* 열매 : 수과

들꽃 이야기

도시 주변이나 철로가에서 자란다. 국화의 한 종류로, 잎이 삼(麻)의 잎과 비슷하게 생겼다고 하여 삼잎국화라는 이름이 붙여졌다. 어린순은 나물로 먹는다.

새삼 Cuscuta japonica [메꽃과]

엽록소가 없어 칡, 쑥 등에 기생하므로 싹이 틀 때 땅속의 뿌리는 없어진다. 줄기는 황갈색이다.

흰색을 띠는 작은 꽃은 여러 개의 짧은 이삭모양으로 모여 핀다. 꽃받침은 5개로 갈라지고 꽃부리는 끝이 얕게 5개로 갈라진다. 열매에 2개의 씨가 있다.

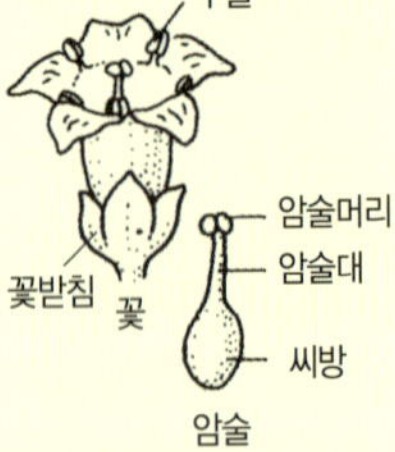

* 한해살이풀
* 줄기 : 2~2.5m
* 개화 : 8~10월
* 열매 : 삭과

들꽃 이야기

산과 들, 밭, 물가에서 자란다. 열매는 익으면 가로로 갈라지면서 검은 씨가 몇 개 나온다. 한방에서 다 익은 씨와 줄기를 말려 약재로 쓴다.

새팥 Phaseolus nipponensis [콩과]

줄기는 황갈색의 털이 있으며 물체에 감긴다. 잎은 어긋나고 3출 겹잎으로 양면에 털이 있으며, 작은 잎은 밋밋하거나 얕게 3개로 갈라진다.

노란 꽃은 잎겨드랑이에 2~3개씩 달린다. 꼬투리는 원통모양이며 익으면 검게 변하고 13~15개의 씨가 들어 있다.

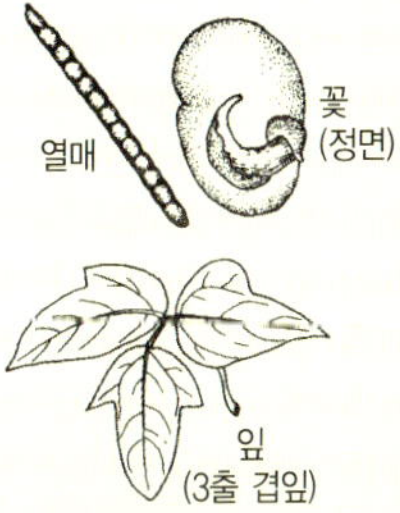

* 한해살이풀
* 줄기 : 1m 정도
* 개화 : 8~9월
* 열매 : 꼬투리

들꽃 이야기 *산기슭이나 풀밭에서 자란다. 활짝 핀 꽃과 잎의 모양이 하늘을 나는 새와 비슷하고, 열매는 팥과 비슷하여 새팥이라는 이름이 붙여졌다.*

석류풀 Mollugo pentaphylla [석류풀과]

줄기는 가늘고 밑부분에서 많은 가지가 갈라진다. 밑부분의 잎은 3~5개가 돌려나며 자루가 없다.

꽃은 줄기나 가지 끝에 집산꽃차례를 이룬다. 꽃잎은 없고 5개의 황록색 꽃받침조각과 3~5개의 수술, 1개의 암술이 있다. 암술대는 3개로 갈라진다.

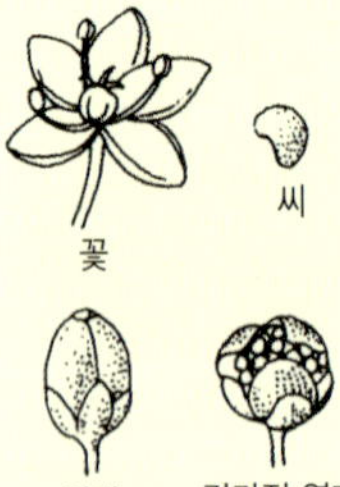

* 한해살이풀
* 줄기 : 10~25cm
* 개화 : 7~10월
* 열매 : 삭과

들꽃 이야기

중부 지방 이남의 볕이 잘 드는 길가나 빈터, 밭둑에서 자란다. 잎의 생김새가 석류나무의 잎과 비슷하여 석류풀이라고 부른다.

석산 Lycoris radiata [수선화과]

비늘줄기는 달걀모양이며 흑갈색이다. 잎은 광택이 나는 짙은 녹색이고 넓은 선모양이며 꽃이 필 때 말라 죽는다.

진홍색을 띠는 꽃은 꽃줄기 끝에 5~10개가 방사형으로 달린다. 6개의 꽃덮이조각은 심하게 뒤로 젖혀진다. 열매를 맺지 않는다.

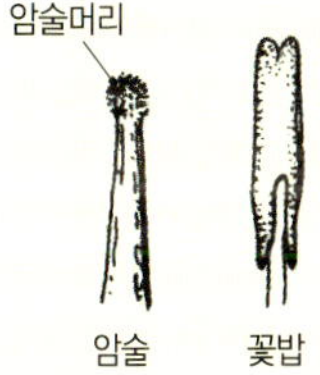

* 여러해살이풀
* 줄기 : 30~50cm
* 개화 : 8~9월
* 열매 : 맺지 않음

들꽃 이야기 *남부 지방의 산기슭이나 풀밭에서 자란다. '꽃무릇'이라고도 한다. 일본에서 들어왔으며 절에서 흔히 가꾼다. 비늘줄기에서 독성을 제거하면 녹말을 얻을 수 있다.*

선밀나물 Smilax nipponica [백합과]

뿌리줄기가 옆으로 벋고 덩굴손이 물체를 감는다. 잎은 어긋나고 잎몸은 넓은 타원형 또는 좁은 달걀모양이다.

꽃은 연한 황록색으로, 수꽃은 꽃덮이조각이 옆으로 퍼지며 잎겨드랑이에 우산모양으로 달린다. 암꽃의 꽃덮이조각은 끝이 밑으로 젖힌다.

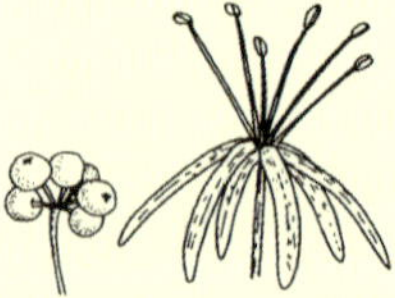

* 여러해살이풀

* 줄기 : 1~2m

* 개화 : 6~7월

* 열매 : 액과(장과)

들꽃 이야기 *산과 들에서 자란다. 밀나물과 비슷하지만 덩굴성이 아니므로 선밀나물이라고 구별하여 부른다. 어린순은 나물로 먹는다.*

선이질풀 Geranium krameri [쥐손이풀과]

줄기는 잎자루와 함께 잔털이 촘촘하다. 잎몸은 5~7개로 갈라지고 각 조각은 다시 3개로 갈라지며, 양면 맥 위에 털이 있다.

연한 홍자색 꽃은 줄기 끝의 긴 꽃자루에 2개씩 달린다. 꽃받침조각은 5개이다. 꽃잎은 5개이고 밑부분에 흰 털이 촘촘하다.

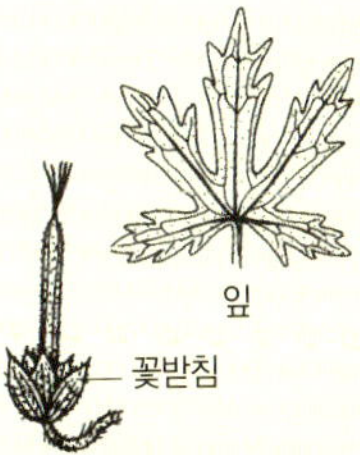

* 여러해살이풀
* 줄기 : 60~80cm
* 개화 : 7~8월
* 열매 : 삭과

들꽃 이야기 *산과 들에서 자란다. 이질, 설사, 복통 등에 효과가 있다. 잎의 모양이 쥐(鼠)의 손(掌)과 비슷하다고 하여 '서장초'라고도 부른다. 꽃말은 '귀감'이다.*

선인장 Opuntia ficusindica [선인장과]

대개 잎이 없는 다육질의 큰 줄기가 특징으로, 건조한 환경에서 살아가기 위해 수분을 저장하는 조직을 진화시킨 것이다. 편평한 가지가 많이 갈라진다.

줄기마디는 짙은 녹색을 띠고, 타원형 또는 거꿀달걀모양이며 편평하다. 가시가 돋고, 오래된 것은 나무처럼 굵어진다.

마디선인장

* 여러해살이풀
* 줄기 : 2~3m
* 개화 : 7~8월
* 열매 : 액과(장과)

들꽃 이야기 *북미 대륙의 열대에서 아열대에 걸친 건조 지대에서 주로 자라며, 우리나라에서는 제주도에서 자란다. 선인장(仙人掌)이라는 이름은 신선의 손바닥처럼 생겼다고 하여 붙여졌다.*

소철 Cycas revoluta [소철과]

줄기는 기둥모양으로 검고 굵으며, 잎이 떨어진 자국이 뚜렷하다. 줄기 윗부분에서 커다란 잎이 방사상으로 퍼진다. 잎몸은 질이 딱딱하고 깃모양이다.

수꽃이삭은 줄기 끝에서 곧게 벋으며 큰 솔방울모양이고, 암꽃은 줄기 끝에 둥글게 뭉쳐나며 밝은 갈색 솜털이 촘촘하다.

암그루

* 상록 관목
* 줄기 : 1~4m
* 개화 : 8월
* 열매 : 구과

들꽃 이야기 *흔히 온실이나 실내에서 관엽 식물로 키우며, 제주도와 영·호남의 해안에서는 옥외에서도 자란다. 허약할 때 철분을 주거나 줄기에 못을 박으면 다시 살아나서 붙여진 이름이다.*

솔나물 Galium verum var. asiaticum [꼭두서닛과]

줄기는 곧게 서고 부드러운 흰 털이 촘촘히 나 있다. 잎몸은 선 모양이며 6~10개가 돌려난다. 잎 끝이 둔하며 가장자리는 뒤로 말린다. 잎 앞면에는 털이 없으나 뒷면에는 흰 털이 촘촘히 나 있다.

노란 꽃은 줄기 끝에 빽빽하게 원뿔 꽃차례를 이루어 핀다.

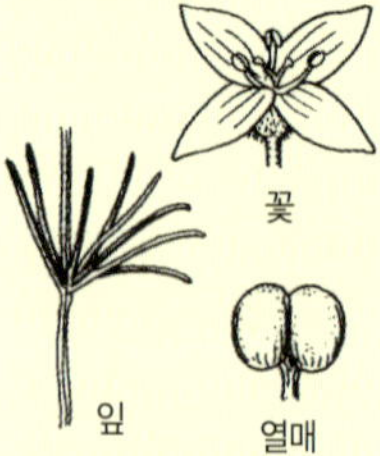

* 여러해살이풀
* 줄기 : 50~80cm
* 개화 : 6~8월
* 열매 : 분과

들꽃 이야기

풀밭이나 숲 속, 논둑, 밭둑에서 자란다. 비슷한 중으로 흰 꽃이 피는 '흰솔나물', 씨방에 털이 있는 '털솔나물', 연노란빛 녹색 꽃이 피는 '개솔나물' 등이 있다.

쇠비름 Portulaca oleracea [쇠비름과]

줄기는 갈홍색이며 줄기는 원통모양이고, 땅을 기거나 윗부분은 비스듬히 선다. 잎은 마주나고 긴 타원형이며 끝이 둥글고 가장자리가 밋밋하다.

노란 꽃은 가지 끝에 여러 개 모여 달리며, 꽃자루가 없다. 햇빛을 받지 않으면 꽃이 피지 않는다.

잎

* 한해살이풀
* 줄기 : 15~30cm
* 개화 : 7~8월
* 열매 : 삭과

들꽃 이야기 *볕이 잘 드는 길가나 빈터, 밭둑에서 자란다. 비름은 '버짐'을 뜻하는데, 잎 모양이 소의 피부에 생긴 버짐 같아 붙여진 이름이다.*

수까치깨 Corchoropsis tomentosa [피나뭇과]

풀 전체에 별모양의 털이 느슨하게 있고 줄기는 곧게 선다. 잎은 어긋난다. 잎몸은 달걀모양이며, 끝이 뾰족하고 가장자리에 톱니가 있다.

노란 꽃은 잎겨드랑이에 1개씩 위를 향해 달린다. 열매는 익으면 3개로 갈라지고 씨는 달걀모양이다.

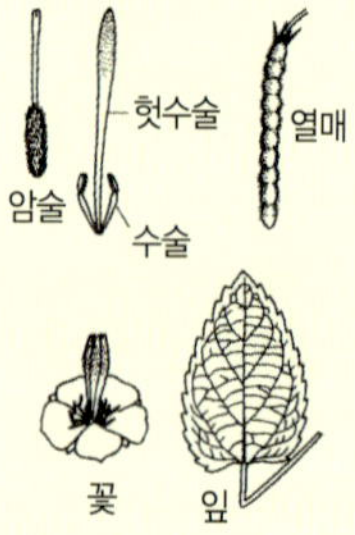

* 한해살이풀
* 줄기 : 30~90cm
* 개화 : 8~9월
* 열매 : 삭과

들꽃 이야기

제주도와 경기도 이남의 숲가나 길가에서 자란다. '야화생, 전마, 모과전마' 라고도 한다. 까치깨와는 달리 꽃받침이 뒤로 젖혀져 수컷을 뜻하는 '수' 자를 붙여 부른다.

수박풀 Hibiscus trionum [아욱과]

줄기는 은백색을 띠는 긴 털이 촘촘히 나 있다. 잎은 어긋나고 긴 자루가 있으며, 잎몸은 3~5개로 깊게 갈라진다.

꽃잎은 5개이며 연한 노란색이나 우유색이고 밑부분은 짙은 자색이다. 꽃은 잎겨드랑이나 가지 끝에 1개씩 피며, 이른 아침에 피었다가 오전에 시든다.

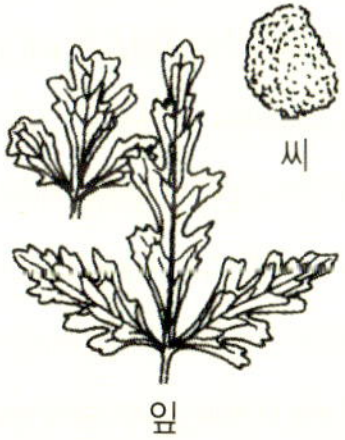

* 한해살이풀
* 줄기 : 30~60cm
* 개화 : 7~8월
* 열매 : 삭과

들꽃 이야기

빈터나 길가에서 자란다. 잎이 수박 잎과 비슷하고, 열매를 싸고 있는 꽃받침의 무늬가 수박 열매의 겉무늬와 비슷하여 수박풀이라는 이름이 붙여졌다.

술패랭이꽃 Dianthus superbus var. longicalycinus [석죽과]

잎은 마주나며, 가장자리는 밋밋하고 녹색 또는 흰색을 띠며, 밑부분은 줄기를 감싼다.

분홍색 꽃은 줄기나 가지 끝에 2~3개 달린다. 5개의 꽃잎은 끝이 술처럼 잘게 갈라지며 밑부분에 털이 있다. 열매는 끝이 4개로 갈라진다. 씨는 납작하고 검은색이다.

* 여러해살이풀
* 줄기 : 30~80cm
* 개화 : 7~8월
* 열매 : 삭과

들꽃 이야기 *풀밭이나 산기슭에서 자란다. 패랭이꽃의 한 종류로, 꽃잎이 가늘고 깊게 갈라져 술패랭이꽃이라고 부른다. 한방에서 꽃이나 열매가 달린 풀을 말려 약재로 쓴다.*

신서란 Phormium tenax [백합과]

잎은 뿌리줄기에서 뭉쳐나며 칼처럼 뾰족하게 생겼고, 길이 1~3m, 폭 5cm 이상이며, 억세고 뻣뻣하다.

꽃은 검붉은빛 또는 노란색으로 피고, 잎 사이에서 나온 높이 2~3m의 꽃줄기에 겹총상 꽃차례를 이루며 대롱모양의 통꽃이 많이 달린다.

꽃

* 여러해살이풀
* 줄기 : 1~2m
* 개화 : 7~8월
* 열매 : 삭과

들꽃 이야기 *제주도 산간과 해안가 집 주변에 있다. '뉴질랜드삼'이라고도 하는데, 이는 원산이 뉴질랜드여서 붙여진 이름이다.*

싱아 Pleuropteropyrum polymorphum [마디풀과]

줄기 윗부분에서 많은 가지가 갈라진다. 잎은 어긋나며 털이 없다. 잎자루는 짧다.

꽃은 흰색 또는 연분홍색으로 원뿔모양 꽃차례를 이루어 이삭모양으로 달린다. 꽃잎은 없고, 꽃받침조각은 5개이다. 수술은 8개이며 암술대는 3개로 갈라진다.

잎

* 여러해살이풀
* 줄기 : 1m 정도
* 개화 : 6~7월
* 열매 : 수과

들꽃 이야기 *산기슭의 볕이 잘 드는 빈터에서 자란다. '숭애, 넓은잎싱아'라고도 한다. 신맛이 나는 어린 줄기는 날로 먹는다. 이름은 '시다.'라는 말에서 비롯되었다고 한다.*

싸리 Lespedeza bicolor [콩과]

많은 가지가 갈라지고 잔털이 있다. 잎은 어긋나며 3출 겹잎이다. 작은 잎은 참싸리에 비해 질이 두껍고 타원형이며, 앞면에 털이 없거나 약간 있고 뒷면에 잔털이 있다.

자홍색 꽃은 잎겨드랑이 또는 가지 끝에 술모양 꽃차례로 핀다. 꽃받침은 4개로 갈라진다.

* 낙엽 관목
* 줄기 : 2~3m
* 개화 : 7~8월
* 열매 : 꼬투리

들꽃 이야기 *전국의 산과 들에서 흔하게 자란다. '호지화'라고도 한다. 겨울에 땔감으로 쓴다. 잎은 사료, 줄기에서 벗긴 껍질은 섬유 자원으로 이용한다. 새로 자란 줄기로 비를 만든다.*

쑥부쟁이 Kalimeris yomena [국화과]

뿌리줄기는 길게 땅속을 뻗는다. 줄기 윗부분에서 가지가 갈라진다. 잎은 어긋나고 가장자리에 굵은 톱니와 잔털이 있다.

머리모양 꽃차례가 줄기나 가지 끝에 1개씩 달린다. 혀꽃은 자주색, 대롱꽃은 노란색이다. 꽃부리는 5개로 갈라져 뒤로 심하게 젖힌다.

* 여러해살이풀
* 줄기 : 40~150cm
* 개화 : 7~10월
* 열매 : 수과

들꽃 이야기 *제주도와 남부 지방의 산과 들에서 자란다. '권영초, 왜쑥부쟁이, 가새쑥부쟁이'라고도 한다. 어린순은 데치거나 기름에 볶아서 먹는다.*

알로에 Aloe arborescens [백합과]

잎이 뿌리에서 뭉쳐나고 그 중앙에서 줄기와 꽃줄기가 벋는다. 잎은 반원 기둥모양으로 뒷면은 둥글고 앞면은 약간 파이며, 가장자리에 가시모양의 톱니가 있다.

잎 가장자리에서 벋은 긴 꽃줄기에 등황색의 대롱모양 꽃이 술모양 또는 우산모양 꽃차례로 핀다.

꽃

* 여러해살이풀
* 줄기 : 1m 정도
* 개화 : 7~8월
* 열매 : 삭과

들꽃 이야기 *아프리카 원산이다. '노회' 또는 '나무노회'라고도 한다. 속명 'Aloe'는 아라비아 어로 '맛이 쓰다.'는 뜻이다. 노회라는 이름은 Aloe의 '로에'를 한자로 바꾼 것이다.*

애기땅빈대 Euphorbia supina [대극과]

연한 붉은색 줄기가 땅을 긴다. 잎은 잎자루 없이 마주나고 타원형이다.

꽃은 잎겨드랑이에 몇 개씩 달리지만 1개의 꽃처럼 보이는 것은, 수술 1개인 수꽃과 암술 1개인 암꽃이 모인 등잔모양 꽃차례이기 때문이다. 열매는 밑으로 처지며 털이 있다.

* 한해살이풀
* 줄기 : 10~30cm
* 개화 : 6~8월
* 열매 : 삭과

들꽃 이야기

길가나 밭둑에서 자란다. 이름의 '빈대'는 전체적인 잎의 생김새 또는 잎 가운데에 있는 자색 반점이 빈대를 연상시킨다고 하여 붙여졌다고 한다.

어수리 Heracleum moellendorffii [산형과]

줄기는 굵고 속이 비어 있다. 잎몸은 깃모양으로 갈라지고 3~5개의 작은 잎으로 이루어지며, 끝이 뾰족하고 가장자리에 톱니가 있다.

가지 끝에 흰 꽃이 촘촘하게 겹우산모양 꽃차례를 이룬다. 가운데 부분의 꽃잎과 주변의 꽃잎은 크기와 모양이 다르다.

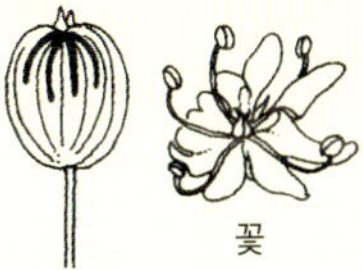

* 여러해살이풀
* 줄기 : 70~100cm
* 개화 : 6~8월
* 열매 : 분과

들꽃 이야기

산기슭이나 강가의 볕이 잘 드는 풀밭에서 자란다. 속명 'Heracleum'은 그리스 신화에 나오는 신 이름인 헤라클레스(Hercules)에서 유래한다. 향이 좋아 쌈으로 먹기도 한다.

엉겅퀴 Cirsium japonicum [국화과]

줄기는 흰 털이 촘촘하다. 줄기잎은 잎몸이 긴 타원형으로 깊게 갈라지고, 밑부분은 줄기를 감싼다. 뿌리잎은 꽃필 때까지 남아 있고 줄기잎보다 크다.

줄기 끝이나 윗부분의 잎겨드랑이에 분홍색의 대롱꽃만으로 이루어진 머리모양 꽃차례가 달린다.

* 여러해살이풀
* 줄기 : 50~100cm
* 개화 : 6~8월
* 열매 : 수과

들꽃 이야기

산과 들에서 자란다. '가시나물'이라고도 한다. 전체에 흰 털과 거미줄 같은 털이 있다. 피를 멈추고 엉기게 한다고 하여 엉겅퀴라는 이름이 붙여졌다.

여우구슬 Phyllanthus urinaria [대극과]

줄기가 붉은빛을 띠고 가지가 옆으로 퍼진다. 잎은 어긋나며 2줄로 달린다. 잎몸은 타원형이고 끝이 둥글며 가장자리가 밋밋하다. 잎 뒷면은 흰빛이 난다.

꽃은 잎겨드랑이에 붉은 밤색의 작은 꽃이 핀다. 꽃이 핀 자리에 작은 구슬모양의 붉은 열매가 열린다.

* 한해살이풀
* 줄기 : 15~40cm
* 개화 : 7~8월
* 열매 : 삭과

들꽃 이야기 *남부 지방의 밭이나 풀밭, 길가에서 자란다. 같은 대극과에 속하는 '여우주머니'와 열매가 비슷하지만, 열매자루가 없는 점이 여우주머니와 구별된다.*

여우주머니 Phyllanthus ussuriensis [대극과]

줄기는 자홍색을 띠고 많은 가지가 번는다. 잎몸은 긴 타원형이며 잔털이 있다.

꽃은 암꽃과 수꽃으로 구분되는데, 각각 꽃받침조각이 6개이다. 수꽃은 가지 끝에 모여 달리며 수술은 2개이다. 암술대는 3개로 갈라진다. 열매는 적갈색이며 매끄럽다.

열매

* 한해살이풀
* 줄기 : 10~40cm
* 개화 : 7~10월
* 열매 : 삭과

들꽃 이야기

길가나 밭둑에서 자란다. 우리나라에 여우주머니속 식물로 '여우주머니'와 '여우구슬'이 있는데, 여우주머니는 원줄기에 잎이 달리고 열매에 자루가 있어 여우구슬과 구별된다.

오리새 Dactylis glomerata [벼과]

줄기는 곧게 서고 연한 녹색을 띤다. 잎은 어긋나고 잎몸은 길이 30~60cm, 폭 1cm 정도이며, 잎혀는 세모지다.

원뿔 꽃차례의 가지에 잔이삭이 빽빽하게 모여 달린다. 잔이삭은 편평하고 폭이 넓으며, 녹색을 띠는 3~5개의 잔꽃으로 이루어진다.

* 여러해살이풀
* 줄기 : 80~120cm
* 개화 : 6~7월
* 열매 : 영과

들꽃 이야기 *길가나 산기슭에서 자란다. '부리새'라고도 한다. 과수원에서 재배할 수 있는 풀로 적당하여 '과수원 풀'이라는 뜻으로 '오처드 그래스(orchard grass)'라고 한다.*

왕과 Thladiantha dubia [박과]

땅속에 굵고 큰 갈색 덩이뿌리가 있다. 줄기는 긴 털이 촘촘하다. 잎과 마주나는 덩굴손으로 물체에 얽힌다. 잎은 어긋나며 잎몸은 심장모양이다.

같은 그루의 잎겨드랑이에 암수 꽃이 1개씩 달리는데, 꽃받침조각은 녹색, 꽃부리는 짙은 노란색이다.

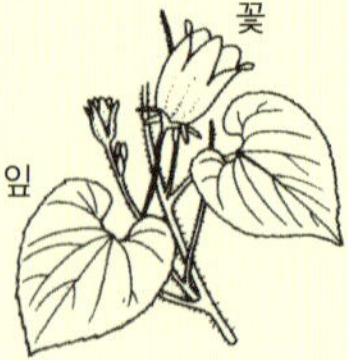

꽃이 달린 상태

* 여러해살이풀
* 줄기 : 6~8m
* 개화 : 7~8월
* 열매 : 액과(장과)

들꽃 이야기 *강원도 북부, 황해도, 경기도 이남의 볕이 잘 드는 산기슭이나 숲가, 인가 주변에서 자란다. '쥐참외'라고도 한다. 한방에서 열매를 약재로 쓴다.*

이질풀 Geranium thunbergii [쥐손이풀과]

줄기 밑부분은 땅을 기며 아래를 향한 흰 털이 있다. 잎은 3~5개로 깊게 갈라지며, 조각마다 2~6개의 굵은 톱니가 있다. 뿌리에서 난 잎에 흑자색의 반점이 있다.

꽃은 줄기 윗부분의 잎겨드랑이에서 벋은 꽃자루에 흰색 또는 분홍색으로 2개씩 달린다.

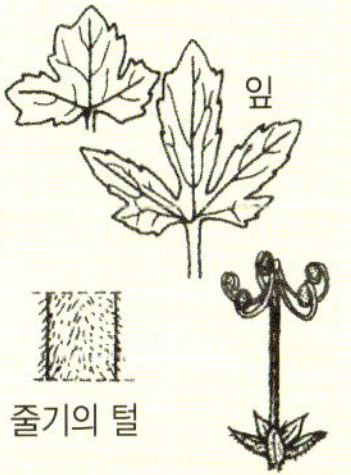

* 여러해살이풀
* 줄기 : 30~50cm
* 개화 : 8~9월
* 열매 : 삭과

들꽃 이야기 *황해도, 강원도 이남의 산기슭 풀밭이나 평지 길가에서 자란다. '노관초'라고도 한다. 이질에 뚜렷한 약효가 있어 이질풀이라 불린다.*

익모초 Leonurus sibiricus [꿀풀과]

줄기에 흰 털이 촘촘하다. 줄기 잎은 3개로 깊게 갈라지고 다시 2~3개로 중간 정도까지 갈라진다. 밑부분의 잎은 긴 잎자루가 있다.

줄기 윗부분의 잎겨드랑이에 입술모양의 분홍색 꽃이 빽빽이 달린다. 열매는 세모로 모가 지고 검은색을 띤다.

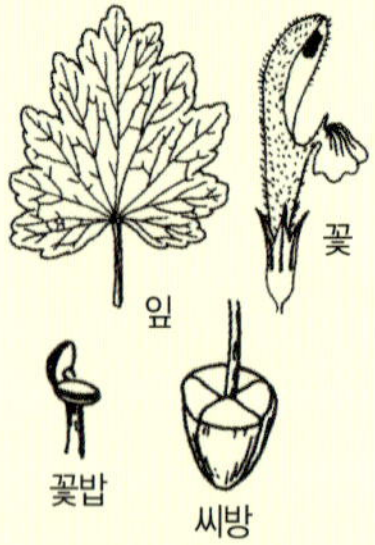

* 두해살이풀
* 줄기 : 50~100cm
* 개화 : 7~8월
* 열매 : 분과

들꽃 이야기 *밭둑이나 길가 빈터에서 자란다. '어미에게 이로운 풀'이라는 뜻을 가진 익모초는 풀 전체를 말려 아기를 낳은 후 달여 먹었다고 한다.*

장구채 Melandryum firmum [석죽과]

줄기에서 가지가 갈라지지 않으며 마디는 짙은 자색이다. 잎은 마주나고 긴 타원형이며 털이 있고 잎자루가 없다.

꽃은 줄기 위부분과 잎겨드랑이에 취산 꽃차례를 이룬다. 꽃받침은 끝이 얕게 5개로 갈라진다. 흰 꽃잎은 5개이고 끝이 2개로 갈라진다.

* 두해살이풀
* 줄기 : 30~80cm
* 개화 : 7~8월
* 열매 : 삭과

들꽃 이야기 *산기슭이나 볕이 잘 드는 숲가에서 자란다. '여루채, 견경여루채'라고도 한다. 곧고 길게 뻗은 줄기가 장구의 채와 비슷하여 장구채라는 이름이 붙여졌다.*

장대나물 Arabis glabra [십자화과]

뿌리에서 난 잎은 양면에 별 모양의 털이 촘촘히 난다. 줄기의 잎은 잎자루 밑부분이 넓어져 줄기를 안는다.

꽃은 연한 황백색으로 술모양 꽃차례를 이루며 달린다. 열매는 네모지며 줄기를 따라 평행하게 곧게 선다. 씨는 좁은 날개가 있다.

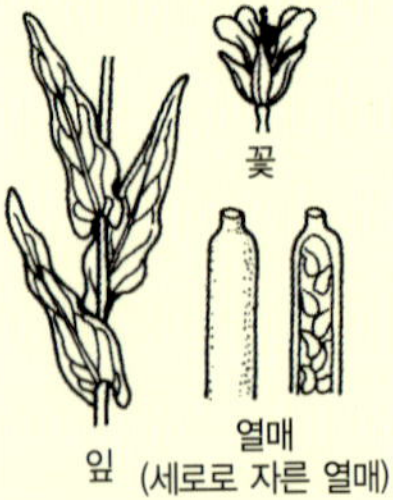

* 두해살이풀
* 줄기 : 40~100cm
* 개화 : 4~6월
* 열매 : 장각과

들꽃 이야기

산속 풀밭이나 들에서 자란다. '남개채, 깃대나물'이라고도 한다. 줄기가 높게는 100cm까지 자라므로 큰 키에 비유하여 장대나물이라고 부르는 듯하다.

제비꿀 Thesium chinense [단향과]

줄기 전체에 털이 없고 흰빛이 돈다. 잎은 어긋나며 잎몸은 끝이 뾰족하고 가장자리는 밋밋하며 잎자루가 없다.

꽃은 잎겨드랑이에 흰색으로 1개씩 달린다. 꽃덮이는 대롱모양이며 열매가 익을 무렵에도 남아 있다. 열매는 그물눈무늬가 있다.

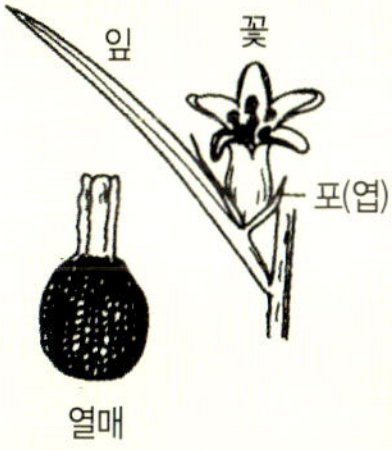

* 여러해살이풀
* 줄기 : 15~35cm
* 개화 : 7~8월
* 열매 : 각과

들꽃 이야기

볕이 잘 드는 산기슭 풀밭이나 숲가에서 자란다. 한방에서 풀 전체를 약재로 쓰며 꿀풀 대용으로 쓴다. 긴제비꿀은 열매에 세로무늬만 있어 제비꿀과 구별된다.

조록싸리 Lespedeza maximowiczii [콩과]

많은 가지가 갈라진다. 잎은 어긋나고 3출 겹잎이며, 잎자루에 털이 있다. 작은 잎은 타원형으로 끝이 뾰족하며 밑부분이 둥글고 뒷면에 털이 있다.

자홍색을 띠는 꽃 15~20개가 잎겨드랑이나 가지 끝에 술모양 꽃차례를 이룬다. 꽃받침은 5개로 갈라지고 털이 있다.

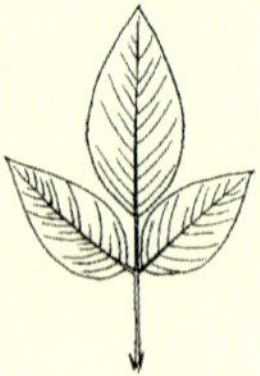

잎(3출 겹잎)

* 낙엽 활엽 관목
* 줄기 : 2~3m
* 개화 : 6~7월
* 열매 : 꼬투리

들꽃 이야기

산기슭에서 흔하게 자란다. 나무껍질은 섬유로, 잎은 사료로, 줄기는 농가에서 공예품을 만드는 데 쓰인다. 한방에서 잎과 가지를 약재로 사용한다.

조뱅이 Cephalonoplos segetum [국화과]

뿌리줄기가 길게 옆으로 벋으며 줄기는 곧게 선다. 잎은 어긋나며 잎몸은 긴 타원형이고 가장자리는 거친 잔톱니와 가시털이 나며, 뒷면은 흰 털이 촘촘하다.

대롱꽃만으로 이루어진 자주색 머리모양 꽃차례가 줄기나 가지 끝에 1개씩 달린다. 암수그루가 다르다.

* 여러해살이풀
* 줄기 : 20~40cm
* 개화 : 5~8월
* 열매 : 수과

들꽃 이야기 *밭둑이나 빈터, 길가, 산기슭 건조지에서 자란다. 어린순은 나물로 먹는다. 지혈하는 효능이 있어 한방에서 풀 전체를 약재로 쓴다.*

조팝나물 Hieracium umbellatum [국화과]

줄기를 자르면 흰 유액이 나온다. 줄기잎은 어긋나고 피침형이며 두껍고 껄끄럽다. 잎 가장자리에 잔톱니가 있고 밑부분은 쐐기모양이며 잎자루가 없다.

노란색 혀꽃만의 머리모양 꽃차례가 줄기나 가지 끝에 1개씩 달린다. 총포는 길이 1cm 정도이고 적록색이다.

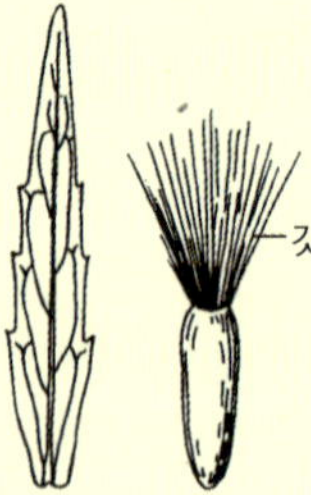

* 여러해살이풀
* 줄기 : 60~90cm
* 개화 : 7~9월
* 열매 : 수과

들꽃 이야기

숲가나 습지에서 자란다. 같은 민들레속의 '고려조밥나물'은 '껄껄이풀'이라고도 하며, 우리나라 부전고원과 개마고원에서 백두산에 이르는 고원에 널리 분포한다.

중대가리풀 Centipeda minima [국화과]

줄기는 땅을 기며 많은 가지가 갈라진다. 잎은 어긋나고 몇 개의 톱니가 있는 주걱모양이며 잎자루가 없다.

잎겨드랑이에 대롱꽃만인 머리모양 꽃차례가 1개씩 달린다. 중심부의 10개 정도가 양성 꽃, 주변부는 암꽃으로 모든 꽃이 열매를 맺는다.

* 한해살이풀
* 줄기 : 10cm 정도
* 개화 : 7~8월
* 열매 : 수과

들꽃 이야기 *길가나 논둑, 밭둑, 습기가 있는 뜰에서 자란다. 중국에서는 잎과 줄기를 비벼서 콧구멍에 넣으면 말라리아에 효과가 있다고 하여 이용하고 있다.*

쥐손이풀 Geranium sibiricum [쥐손이풀과]

줄기는 밑부분에서 갈라져 비스듬히 선다. 줄기, 잎자루, 꽃자루에 아래를 향한 털이 있다. 잎은 손바닥모양으로 갈라지며, 가장자리는 굵은 톱니모양이다.

흰색 또는 분홍색 꽃은 잎겨드랑이에 2개씩 달린다. 열매는 익으면 갈라지면서 씨를 튕긴다.

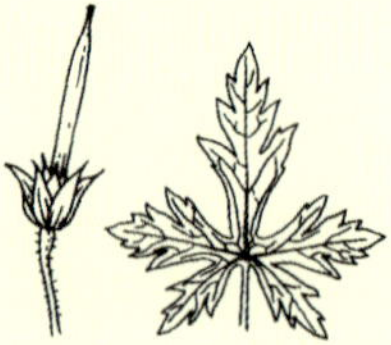

* 여러해살이풀
* 줄기 : 30~80cm
* 개화 : 6~8월
* 열매 : 삭과

들꽃 이야기 *산과 들에서 자란다. 한방에서 풀 전체와 열매를 '현초'라고 하여 약재로 쓴다. 5개의 아주 작은 흰 꽃잎이 쥐의 손을 닮아 쥐손이풀이라고 부른다.*

쥐오줌풀 Valeriana fauriei [마타릿과]

뿌리에 향기가 있다. 줄기 마디에 흰 털이 있고, 줄기 밑부분에서 벋는 가지로 번식한다. 잎은 마주나고 잎몸은 깊게 5~7개로 갈라진다. 작은 잎은 긴 타원모양 피침형이다.

줄기 끝에 분홍색의 작은 꽃이 겹우산모양 꽃차례로 모여 핀다.

* 여러해살이풀
* 줄기 : 30~80cm
* 개화 : 5~8월
* 열매 : 수과

들꽃 이야기 *산속 습한 응달에서 자란다. 수염뿌리에서 쥐의 오줌 냄새와 비슷한 독특한 냄새가 난다고 하여 쥐오줌풀이라는 이름이 붙여졌다.*

지느러미엉겅퀴 Carduus crispus [국화과]

줄기는 곧게 서고 양측에 지느러미모양의 날개와 날카로운 가시가 있다. 뿌리에서 난 잎은 긴 타원모양 피침형이다. 잎 가장자리에 가시모양의 톱니가 있다.

대롱꽃만으로 이루어진 머리모양 꽃차례가 자홍색으로 줄기나 가지 끝에 달린다.

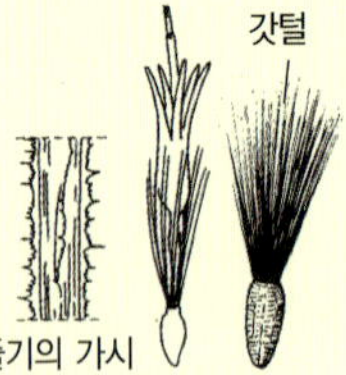

* 두해살이풀
* 줄기 : 70~100cm
* 개화 : 6~8월
* 열매 : 수과

들꽃 이야기 *들이나 길가, 밭둑, 논둑에서 자란다. 줄기에 지느러미 같은 날개가 달리고, 날개 가장자리에 가시모양의 톱니가 있어 지느러미엉겅퀴라는 이름이 붙여졌다.*

질경이 Plantago asiatica [질경잇과]

잎은 뿌리에서 뭉쳐나 비스듬히 퍼지고 잎자루는 길다. 잎몸은 달걀모양이고, 나란히 벋은 5맥이 뚜렷하다.

꽃줄기에 흰 꽃이 빽빽하게 이삭모양 꽃차례를 이룬다. 꽃부리는 대롱모양이며, 꽃받침은 4개로 갈라진다. 열매는 꽃받침 길이의 2배 정도이다.

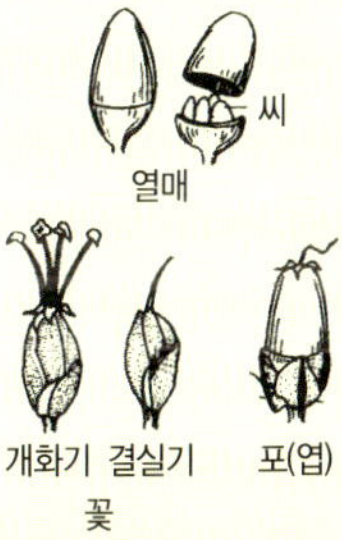

* 여러해살이풀
* 줄기 : 15~30cm
* 개화 : 6~8월
* 열매 : 삭과

들꽃 이야기 *길가나 빈터, 풀밭, 인가 주변에서 자란다. 열매는 익으면 뚜껑이 열리듯 위쪽에서 가로로 갈라진다. 한방에서 잎을 '차전', 씨를 '차전자'라고 하여 약재로 쓴다.*

참깨 Sesamum indicum [참깻과]

줄기는 곧게 서고 네모진다. 잎은 밑부분에서 마주나고 갈라지지만, 윗부분에서는 어긋나고 갈라지지 않는다.

꽃은 잎겨드랑이에 1개씩 마주난다. 꽃부리는 보랏빛 흰색이며 윗입술은 2개, 아랫입술은 3개로 갈라진다. 열매는 원기둥 모양이다.

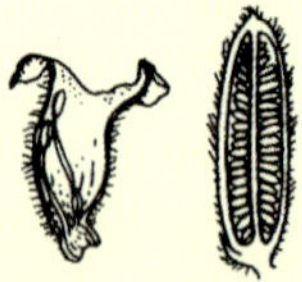

* 한해살이풀
* 줄기 : 1m 정도
* 개화 : 7~8월
* 열매 : 삭과

들꽃 이야기 *씨에서 나는 기름과 잎을 먹기 위해 재배한다. '호마, 지마, 향마'라고도 한다. 씨에는 기름과 단백질이 들어 있어 기름은 짜내고 남은 깻묵은 사료나 비료로 쓴다.*

참나리 Lilium tigrinum [백합과]

비늘줄기는 둥글다. 줄기는 자갈색 반점이 있으며 어릴 때는 흰 털로 덮인다. 잎은 어긋나며 피침형이며 잎자루가 없다.

4~20개의 꽃은 줄기 끝에서 술모양 꽃차례로 아래를 향해 달린다. 적황색 꽃덮이조각에 흑자색 반점이 있다. 주아(살눈)로 번식한다.

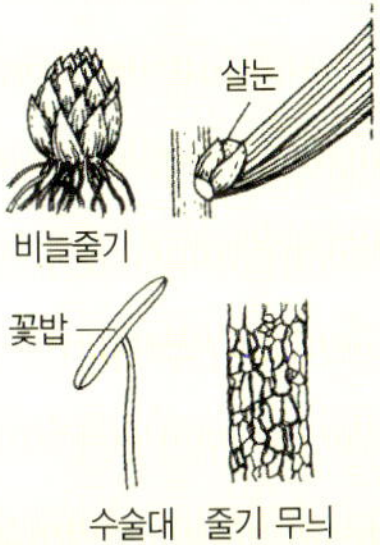

* 여러해살이풀
* 줄기 : 1~2m
* 개화 : 7~8월
* 열매 : 맺지 않음

들꽃 이야기 *산과 들에서 자란다. '나리'라고도 한다. 한방에서 비늘줄기를 약재로 쓴다. 간혹 꽃덮이에 흑자색 반점이 없는 것이 있는데, 이것은 '민참나리'이다.*

참새귀리 Bromus japonicus [볏과]

줄기 속이 비어 있다. 잎 양면에 부드러운 털이 있다. 잎집은 좌우 가장자리가 붙어 대롱모양을 이룬다.

원뿔 꽃차례는 한쪽으로 기운다. 잔이삭은 길이 15~25mm이며, 속깍지(둘째 포영)는 7~8맥이 있고, 겉겨(호영)는 9맥이 있으며 긴 까끄라기가 있다.

* 한해살이풀
* 줄기 : 30~70cm
* 개화 : 6~7월
* 열매 : 영과

들꽃 이야기 *볕이 잘 드는 빈터나 길가에서 자란다. 들판에 무더기로 피어난 모습이 마치 참새들이 옹기종기 모여 있는 것 같다고 하여 참새귀리라는 이름이 붙여졌다고 한다.*

창질경이 Plantago lanceolata [질경잇과]

뿌리줄기가 짧고 굵다. 잎몸은 좁은 피침형이며, 밑부분은 점점 좁아지면서 잎자루를 이루고, 전체에 털이 있다.

꽃은 흰색으로 꽃줄기 윗부분에 빽빽하게 모여 이삭모양 꽃차례를 이룬다. 꽃밥은 자주색이다. 열매에 2개의 흑갈색 씨가 있다.

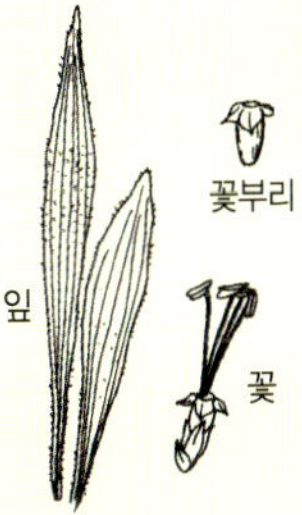

* 여러해살이풀
* 줄기 : 40~60cm
* 개화 : 7~8월
* 열매 : 삭과

들꽃 이야기 *길가나 산기슭의 풀밭, 빈터에서 자란다. 꽃이 필 때 꽃차례의 끝이 창처럼 뾰족하여 창질경이라는 이름이 붙여졌다고 한다.*

채송화 Portulaca grandiflora [쇠비름과]

줄기는 가는 기둥모양으로 다육질이며 보라색을 띠기도 하고, 땅을 기면서 퍼진다. 잎은 어긋나며 잎자루와 잎몸의 구별이 없고 다육질이며 선모양이다. 잎겨드랑이에 긴 흰 털이 뭉쳐난다.

줄기 윗부분에 꽃이 1개씩 위를 향해 핀다. 꽃잎은 5개로 거꿀달걀모양이며 끝이 둥글다.

꽃

* 한해살이풀
* 줄기 : 20cm 정도
* 개화 : 7~10월
* 열매 : 삭과

들꽃 이야기 *볕이 잘 드는 모래 섞인 땅에서 잘 자란다. 꽃은 아침에 햇빛을 받아 피고 저녁에 닫히며, 구름이 끼면 피지 않는다. 한방에서 풀 전체를 '반지련'이라고 하여 약재로 쓴다.*

층층이꽃 Clinopodium chinense var. parviflorum [꿀풀과]

줄기는 네모지고, 밑을 향한 흰 털이 있다. 잎은 마주나고 잎자루가 있다. 잎몸은 긴 타원형 또는 좁은 달걀모양이며, 가장자리에 톱니가 있다.

줄기나 가지에 입술모양의 자홍색 꽃이 층층으로 모여 달린다. 꽃받침은 5개로 갈라지고 털이 많다.

* 여러해살이풀
* 줄기 : 20~60cm
* 개화 : 7~8월
* 열매 : 분과

들꽃 이야기 *풀밭에서 자란다. 잎겨드랑이에 꽃이 층층으로 피어 층층이꽃이라고 부른다. 향이 좋으며, 어린순은 나물로 먹고, 뿌리는 옴을 치료하는 데 쓴다.*

칡 Pueraria thunbergiana [콩과]

줄기와 잎에 갈색 털이 촘촘하다. 잎몸은 3출 겹잎이며 자루 밑부분에 턱잎이 있고 작은 잎 밑부분에도 작은 턱잎이 있다.

자홍색의 나비모양 꽃이 술모양 꽃차례로 달리고, 꽃이 쉽게 떨어진다. 꽃받침은 불규칙하게 5개로 갈라지며, 털이 촘촘하다. 꼬투리는 갈색 털이 촘촘하다.

* 여러해살이풀
* 줄기 : 10m 이상
* 개화 : 7~9월
* 열매 : 꼬투리

들꽃 이야기

볕이 잘 드는 산기슭이나 숲 가장자리에 자란다. 한방에서 뿌리를 '갈근'이라고 하는데, 이 뿌리의 녹말로 국수를 만들거나, 뿌리 삶은 물을 차로 마신다.

카네이션 Dianthus caryophyllus [석죽과]

줄기는 곧게 서고 전체가 분처럼 흰색을 띤다. 잎은 마주나고 밑부분이 줄기를 감싸고 끝이 뾰족하다.

꽃은 줄기 윗부분의 잎겨드랑이와 줄기 끝에 1~3개씩 달리고 향기가 있다. 꽃받침은 원통모양이고 끝이 얕게 5개로 갈라진다. 꽃잎은 거꿀달걀모양이다.

* 여러해살이풀
* 줄기 : 40~50cm
* 개화 : 7~8월
* 열매 : 삭과

들꽃 이야기 *남부 유럽과 서아시아 원산이다. 우리나라에서는 온실과 비닐하우스에서 재배하는데, 어버이날과 스승의 날 붉은 카네이션을 달아드려 감사의 마음을 전한다.*

칸나 Canna [홍초과]

뿌리줄기는 고구마처럼 굵다. 잎은 넓은 타원모양이고 양끝이 좁으며 밑부분이 잎집이 되어 줄기를 감싼다.

보라색, 붉은색, 노란색 꽃이 줄기 윗부분에 핀다. 꽃받침조각과 꽃잎은 각각 3개이다. 수술은 3개이고 꽃잎처럼 보이며, 암술대는 노란빛 붉은색이다.

* 여러해살이풀
* 줄기 : 1~2m
* 개화 : 7~8월
* 열매 : 삭과

들꽃 이야기 *인도, 아프리카 원산이다. 우리가 흔히 말하는 칸나는 아시아, 아프리카, 아메리카의 열대 지방에 자생하는 품종을 개량한 것으로, 전 세계에 100여 종 이상이 있다.*

커리플랜트 Helichrysum angustifolium [국화과]

솔잎처럼 생긴 잎은 은빛 초록색을 띤다. 꽃은 황금색이며 산형 꽃차례로 핀다. 열매는 광택이 있는 원통모양으로 자라며 흰색을 띤다. 잎과 꽃에서 커리향이 난다.

고온다습에 약하므로 겨울에는 실내에서 재배해야 한다. 꺾꽂이로 번식한다.

꽃

* 여러해살이풀
* 줄기 : 60~100cm
* 개화 : 7~8월
* 열매 : 삭과

들꽃 이야기 유럽 남서부 원산이다. 햇볕이 잘 들고 통풍이 잘 되는 곳에서 자란다. 속명 'Helichrysum'은 그리스 어로 '태양과 황금'이라는 뜻인데, 꽃이 황금색을 띠어서 붙여졌다.

컴프리 Symphytum officinale [지칫과]

줄기 전체에 거센 흰 털이 촘촘하다. 잎은 어긋나고 잎몸은 달걀모양 피침형이다.

꽃은 보라색 또는 황백색이며, 꽃받침은 짙은 녹색이다. 꽃차례는 끝부분이 태엽처럼 감겨서 아래로 처진다. 꽃부리는 넓은 대롱모양으로 얕게 5개로 갈라진다.

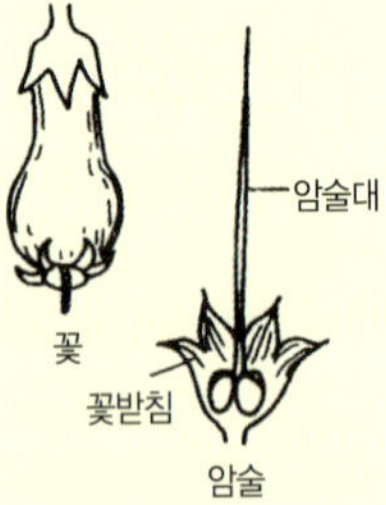

* 여러해살이풀
* 줄기 : 60~90cm
* 개화 : 6~7월
* 열매 : 분과

들꽃 이야기

유럽 코카서스 지방이 원산지이다. 뿌리에 녹말이 있으므로 먹을 수 있으며, 한방에서는 잎과 뿌리를 '감부리'라고 하여 약재로 쓴다.

큰땅빈대 Chamaesyce maculata [대극과]

줄기는 적갈색이고 비스듬히 서며, 거의 털이 없다. 잎은 마주나고 잎자루가 없으며, 잎몸은 타원형이다. 잎 가장자리에 잔톱니가 있고 뒷면에 털이 약간 있다.

가지 끝에 붉은색의 등잔모양 꽃차례가 달린다. 열매는 삼각모양이며 털이 없이 매끄럽다.

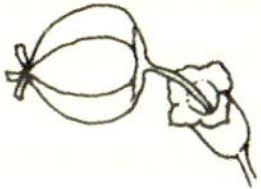

등잔모양 꽃차례

* 한해살이풀

* 줄기 : 20~60cm

* 개화 : 6~8월

* 열매 : 삭과

들꽃 이야기

중부 지방의 밭 주변이나 인가 주변 돌담에서 자란다. '땅빈대'나 '애기땅빈대'보다 잎이 크고, 땅 위에 퍼진 잎 모양이 빈대 같아 큰땅빈대라는 이름이 붙여졌다.

큰방가지똥 Sonchus asper [국화과]

줄기는 곧게 선다. 잎 가장자리의 톱니 끝은 예리한 가시이다. 잎몸의 밑부분은 둥근 모양이며, 줄기를 감싼다.

혀꽃만으로 이루어진 노란색 머리모양 꽃차례가 줄기나 가지 끝에 여러 개 달린다. 열매는 세로로만 주름져 있어 방가지똥과 구별된다.

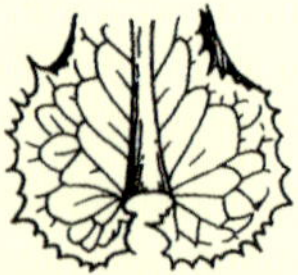

잎의 밑부분

* 한두해살이풀
* 줄기 : 50~100cm
* 개화 : 6~7월
* 열매 : 수과

들꽃 이야기 *도시 빈터나 인가 주변에서 자란다. 사데풀 꽃과 매우 비슷하지만, 잎에 가시가 있고 잎이 원줄기를 완전히 감싸므로 사데풀과 구별된다.*

큰엉겅퀴 Cirsium pendulum [국화과]

줄기는 곧게 선다. 잎은 어긋나고 깃모양으로 갈라진다. 잎 가장자리에 가시가 있으며, 양면에 털이 있다.

줄기 윗부분에서 수십 개, 때로는 100개 이상의 대롱꽃만으로 이루어진 머리모양 꽃차례가 밑으로 드리워 핀다. 꽃부리는 자주색이다.

대롱꽃

* 여러해살이풀
* 줄기 : 1~2m
* 개화 : 8~9월
* 열매 : 수과

들꽃 이야기 *경기도, 강원도 이북의 강가나 숲가에서 자란다. 대부분 엉겅퀴 꽃이 하늘을 향해 피지만, '큰엉겅퀴'는 벼이삭처럼 밑으로 처져 핀다.*

큰조롱 Cynanchum wilfordii [박주가릿과]

덩이뿌리는 황백색이며 여러 개이다. 가는 줄기는 물체에 감기며, 자르면 흰 유액이 나온다. 잎은 마주나고 잎몸은 심장모양이며, 잎몸과 거의 같은 길이의 잎자루가 있다.

잎겨드랑이에 연한 황록색 꽃이 우산모양 꽃차례로 핀다. 꽃받침조각은 5개이다.

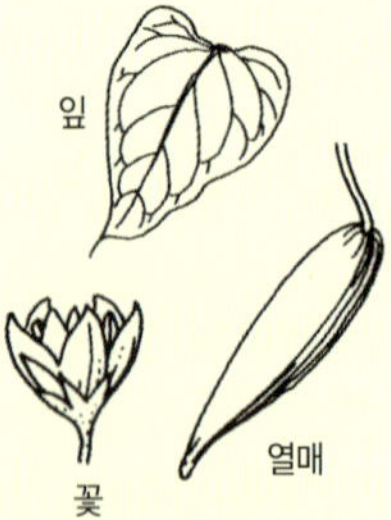

* 여러해살이풀
* 줄기 : 1~3m
* 개화 : 7~8월
* 열매 : 골돌과

들꽃 이야기 *울릉도, 제주도의 산기슭이나 숲 속에서 자란다. '은조롱, 새박풀, 하수오'라고도 한다. 한방에서 뿌리를 '백하수오'라고 하여 강장제로 쓴다.*

큰피막이 Hydrocotyle ramiflora [산형과]

줄기는 땅을 기고, 가지는 비스듬히 위로 벋는다. 잎은 얕게 5~7개로 갈라지며 둔한 톱니가 있고 양면에 털이 있다.

잎보다 길게 벋은 잎자루 끝에 10개 정도의 작은 황백색 꽃이 머리모양 꽃차례로 핀다. 열매는 길이 1mm 정도로 콩팥모양이다.

잎

* 여러해살이풀
* 줄기 : 10~15cm
* 개화 : 6~8월
* 열매 : 분과

들꽃 이야기 *경기도 이남의 길가 도랑가나 풀밭에서 자란다. '산피막이풀, 큰산피막이풀'이라고도 한다. 같은 종류의 '제주피막이'는 잎 밑부분이 파이고 서로 포개 있다.*

타래난초 Spiranthes sinensis [난초과]

뿌리는 굵고 크다. 줄기에 1~3개의 피침형 비늘잎이 있다. 뿌리에서 난 잎은 밑부분이 잎집을 이룬다.

여러 개의 연분홍색 꽃이 줄기 윗부분에 나선모양으로 달리며, 드물게 흰 꽃이 핀다. 입술꽃잎은 윗부분이 뒤로 젖혀진다. 꽃받침조각은 끝이 뾰족하다.

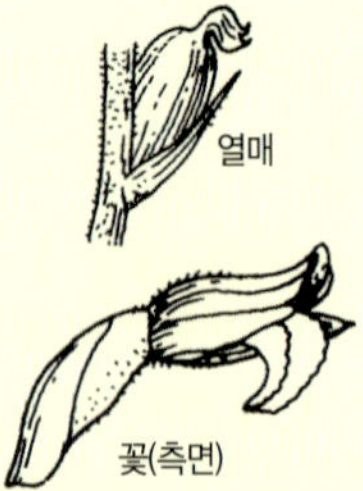

* 여러해살이풀
* 줄기 : 10~40cm
* 개화 : 6~8월
* 열매 : 삭과

들꽃 이야기

산기슭의 볕이 잘 드는 풀밭에서 자란다. 꽃줄기 끝에 길게 달린 꽃차례에 실타래나 새끼줄 같은 모양으로 꼬이며 꽃이 피어 붙여진 이름이다.

토끼풀 Trifolium repens [콩과]

줄기는 땅을 기며, 군데군데에서 뿌리가 내린다. 잎은 3출 겹잎이고 작은 잎은 원형이며 끝은 얕게 파이고 가장자리에 잔톱니가 있다.

흰 꽃은 잎겨드랑이에 머리모양 꽃차례로 달리며, 꽃은 지름 약 10mm이다. 꼬투리에 3~6개의 씨가 있다.

* 여러해살이풀
* 줄기 : 20~30cm
* 개화 : 6~7월
* 열매 : 꼬투리

들꽃 이야기

풀밭이나 길가에서 자란다. '클로버'라고도 한다. 토끼가 잘 먹는 풀이라고 하여 붙여진 이름이다. 보통 잎이 3개지만, 잎이 4개인 토끼풀을 찾으면 행운이 온다고 알려져 있다.

토마토 Lycopersicon esculentum [가짓과]

줄기가 땅에 닿으면 많은 막뿌리가 돋는다. 잎은 깃모양 겹잎이며, 불규칙한 톱니가 있다. 식물체 표피의 황록색 샘털이 노란 점액을 분비하여 악취를 풍긴다.

마디 사이의 중간에서 꽃자루가 자라 노란 꽃이 몇 개 핀다. 꽃받침은 선모양 피침형, 꽃부리는 접시모양이다.

꽃

* 한해살이풀
* 줄기 : 1~1.5m
* 개화 : 6~8월
* 열매 : 액과(장과)

들꽃 이야기 *남아프리카 열대 지방이 원산지이다. 우리나라에는 『지봉유설』에 '남만시'로 기록되어 있는 것으로 보아 1614년 이전에 들어온 것으로 추측된다.*

패랭이꽃 Dianthus sinensis [석죽과]

줄기는 흰빛이 돈다. 잎은 마주나고 가장자리는 밋밋하다. 잎자루가 없고 밑부분은 줄기를 감싼다.

줄기나 가지 끝에 적자색 꽃이 1개씩 달리고, 꽃잎은 끝이 잘게 갈라지지 않고 얕은 톱니가 있다. 꽃받침은 원통형이고, 끝이 5개로 갈라진다.

꽃

* 여러해살이풀
* 줄기 : 30~40cm
* 개화 : 6~8월
* 열매 : 삭과

들꽃 이야기 *산기슭 풀밭이나 강가 모래땅에서 자란다. 꽃받침과 꽃잎으로 이루어진 꽃이 옛날 사람들이 쓰던 패랭이모자를 닮아 패랭이꽃이라고 부른다.*

피튜니아 Petunia violacea [가짓과]

줄기는 약하고 덩굴이 지며, 자랄 때는 즙이 많고 끈적끈적한 부드러운 털이 있다. 잎은 어긋나고 끝이 뾰족한 달걀모양이며 부드러운 털이 있다.

흰색, 붉은색, 보라색 등을 띠는 꽃이 잎겨드랑이에 1개씩 달린다. 꽃부리는 나팔꽃처럼 깔때기모양으로 생겼다.

* 한해살이풀 또는 여러해살이풀
* 줄기 : 50cm 정도
* 개화 : 6~10월
* 열매 : 삭과

들꽃 이야기 *물이 잘 빠지고 햇볕이 잘 드는 곳에서 자란다. 우리나라에서는 한해살이풀로 다룬다. 농학자 우장춘 박사가 피튜니아를 개량하여 화초로 키울 수 있게 하였다.*

할미질빵 Clematis trichotoma [미나리아재빗과]

길이 5m, 지름 3cm 이상 자란다. 잎은 마주나고 3~5개의 작은 잎으로 된 겹잎이며, 잎자루가 길고 털이 있다. 작은 잎은 끝이 3~5개로 굵게 갈라지고, 뒷면 맥 위에 긴 털이 많다.

꽃은 흰색으로 향기가 있으며, 보통 3개씩 잎겨드랑이에 달린다.

잎(깃모양 겹잎)

* 갈잎 덩굴식물
* 줄기 : 5m 정도
* 개화 : 5~7월
* 열매 : 수과

들꽃 이야기 *산기슭이나 숲가에서 자란다. '할미밀빵'이라고도 한다. 사위는 약한 풀(사위질빵)로 만든 지게를 지고, 장모는 강한 이 풀로 만든 지게를 지었다는 이야기가 전한다.*

해바라기 Helianthus annuus [국화과]

줄기와 잎에 거센 털이 있다. 잎은 어긋나고 잎몸은 심장모양으로 가장자리에 굵은 톱니가 있다.

줄기 윗부분에 머리모양 꽃이 옆을 향해 핀다. 진한 노란색 혀꽃은 수술이 없으며, 때로는 암꽃도 없다. 노란색 또는 갈색을 띠는 대롱꽃은 양성 꽃이다. 씨에서 기름을 짜서 먹는다.

* 한해살이풀
* 줄기 : 2~3m
* 개화 : 8~9월
* 열매 : 수과

들꽃 이야기 *아무 데서나 잘 자라지만, 특히 양지바른 곳에서 잘 자란다. '향일화, 조일화'라고도 한다. 해바라기의 머리모양 꽃이 태양을 향한다고 하여 붙여진 이름이다.*

호박 Cucurbita moschata [박과]

줄기를 자른 면은 오각형으로 부드러운 털이 있으며, 땅을 기거나 덩굴손에 의해 다른 물체에 얽혀 위로 자란다.

잎은 어긋나고 잎자루가 있으며 잎몸은 심장모양 또는 콩팥모양이다. 잎 끝은 5개로 얕게 갈라진다. 수꽃은 꽃자루가 길고 암꽃은 꽃자루가 짧다.

꽃봉오리

* 한해살이풀
* 줄기 : 3m 정도
* 개화 : 6~10월
* 열매 : 액과(장과)

들꽃 이야기 *과일 채소류 중에서 녹말 함량이 가장 많아 감자, 고구마, 콩에 이어 열량이 높다. 비타민 A와 B, C를 함유하여 비타민 공급원으로서 매우 중요하다.*

호장근 Reynoutria elliptica [마디풀과]

줄기는 굵고 속이 비어 있다. 새순은 자홍색 무늬가 있고 부드럽다. 잎은 어긋나고 잎자루가 있으며, 잎몸은 넓은 타원형이고 끝이 길게 뾰족하다.

꽃은 줄기 끝이나 잎겨드랑이에 술모양 꽃차례를 이룬다. 꽃잎은 없고 꽃받침은 흰색 또는 분홍색이다.

* 여러해살이풀
* 줄기 : 150cm 정도
* 개화 : 7~10월
* 열매 : 수과

들꽃 이야기

냇가나 산기슭에서 자란다. 어린 줄기에 호랑이의 털가죽 같은 무늬가 있어 '호장근(虎杖根)'이라고 부른다. 한방에서 뿌리를 약재로 쓴다.

환삼덩굴 Humulus japonicus [뽕나뭇과]

줄기나 잎자루에 아래로 향한 가시가 있으며 물체에 감긴다. 잎은 마주난다.

암수 그루가 다른데, 수꽃은 원뿔 꽃차례를 이루며 꽃받침조각과 수술은 각각 5개, 꽃밥은 연노란색이다. 암꽃은 10개 정도가 둥글게 모여 밑으로 드리운다. 열매는 렌즈모양이다.

* 한해살이풀
* 줄기 : 3~5m
* 개화 : 8~9월
* 열매 : 수과

들꽃 이야기 *길가나 도랑에서 자란다. 율초, 한삼, 한삼덩굴이라고도 한다. 줄기 껍질은 섬유로 쓰고, 열매와 열매가 달린 풀 전체는 한방에서 약재로 쓴다.*

숲 속

가는잎쐐기풀 Urtica angustifolia [쐐기풀과]

줄기 전체에 쐐기털이 있다. 잎은 마주나며 잎몸은 긴 타원형이다. 잎 끝은 길게 뾰족하며 밑부분은 둥글고 가장자리에 톱니가 있다.

꽃은 암수 그루가 다른 경우도 있지만, 흔히 윗부분의 잎겨드랑이에 암꽃이삭이, 밑부분에 수꽃이삭이 달린다.

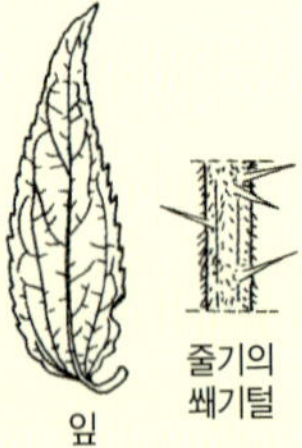

* 여러해살이풀
* 줄기 : 80cm 정도
* 개화 : 7~8월
* 열매 : 수과

들꽃 이야기

볕이 잘 드는 산속 물가나 숲 속에서 자란다. 줄기에 있는 가시에 찔리면 쐐기에 쏘인 것처럼 아프다고 하여 가는잎쐐기풀이라는 이름이 붙여졌다.

가는장대 Dontostemon dentatus [십자화과]

줄기 윗부분에서 가지가 갈라진다. 뿌리에서 난 잎은 주걱 모양이다. 줄기잎은 피침형이며 어긋나고 양면에 털이 있으며 가장자리에 잔톱니가 있다.

연한 홍자색을 띠는 십자모양 꽃은 술모양 꽃차례를 이룬다. 열매는 털이 없고 씨는 둘레에 날개가 있다.

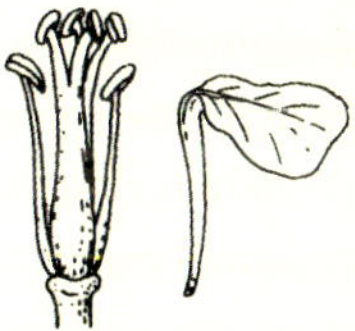

* 두해살이풀
* 줄기 : 20~50cm
* 개화 : 5~7월
* 열매 : 장각과

들꽃 이야기 *산속이나 해안에서 자란다. '장대나물'과 비슷하지만, 꽃이 붉은색을 띠고 키도 훨씬 커서 장대나물과 구별하기 위해 가는장대라고 부른다.*

가시오갈피 Acanthopanax senticosus [두릅나뭇과]

가지나 잎자루에 밑으로 향한 가늘고 예리한 가시가 있다. 잎은 어긋나며, 잎몸은 작은 잎 3~5개인 손바닥모양 겹잎이다. 작은 잎은 양면에 털이 있고 가장자리에 겹톱니가 있다.

녹백색 꽃이 가지 끝에 산형 꽃차례로 피며, 꽃잎은 밑으로 처진다. 열매는 검게 익는다.

* 낙엽 활엽 관목
* 줄기 : 2~3m
* 개화 : 7~8월
* 열매 : 액과(장과)

들꽃 이야기

지리산 이북 깊은 산속 골짜기에서 자란다. 우리나라에서 자라는 오갈피속 식물 중에서 가시가 가장 예리하며 빽빽하게 난다. 한방에서 나무껍질을 약재로 쓴다.

감자난초 Oreorchins patens [난초과]

헛알줄기는 길이 1.5~2cm로 둥글다. 꽃줄기는 곧게 서고, 밑부분에 잎집모양의 잎이 2개 있다. 잎몸은 피침형이며 양끝이 날카롭게 뾰족하다.

꽃은 황갈색으로 10~15개가 술모양 꽃차례를 이룬다. 꽃받침조각과 곁꽃잎은 끝이 둔한 피침형이다.

입술꽃잎

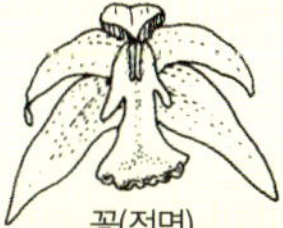

꽃(정면)

* 여러해살이풀

* 줄기 : 30~50cm

* 개화 : 5~7월

* 열매 : 삭과

들꽃 이야기

숲 속에서 자란다. '감자난'이라고도 한다. 뿌리와 줄기 사이에 달려 있는 헛알줄기가 마치 둥근 감자를 닮아서 감자난초라는 이름이 붙여졌다.

개선갈퀴 Galium trifloriforme [꼭두서닛과]

줄기는 가시가 없이 매끄럽다. 잎은 6개가 돌려나고, 잎몸은 넓은 피침형으로 끝이 뾰족하고 가장자리가 밋밋하며 잎자루가 없다.

줄기 끝에 작은 흰 꽃이 집산꽃차례를 이룬다. 꽃부리는 깊게 4개로 갈라진다. 열매는 갈고리모양의 가시가 촘촘하다.

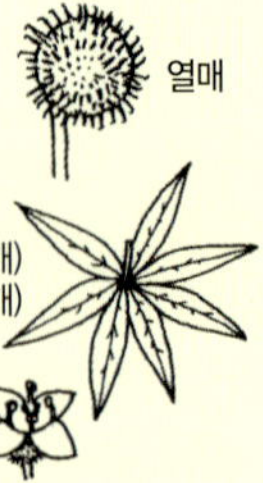

* 여러해살이풀
* 줄기 : 20~30cm
* 개화 : 7~8월
* 열매 : 분과

들꽃 이야기

산과 들의 그늘진 습지에서 자란다. '달구지갈퀴, 산갈퀴'라고도 한다. '검은개선갈퀴'와 비슷하지만, 개선갈퀴는 잎 양끝이 좁고 마르면 짙은 녹색이 된다.

개지치 Lithospermum arvense [지칫과]

줄기 밑부분에서 가지가 갈라지며, 흰색의 거센 털이 촘촘하다. 잎은 어긋나고 잎자루가 없다. 잎몸은 끝이 둔하고 가장자리가 밋밋하며 뒤로 말린다.

줄기 윗부분의 잎겨드랑이에 흰 꽃이 1개씩 달린다. 꽃부리는 끝이 5개로 갈라져 수평하게 퍼진다.

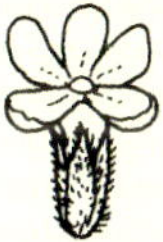

꽃

꽃받침에 싸인 열매

* 두해살이풀
* 줄기 : 20~30cm
* 개화 : 7~8월
* 열매 : 분과

들꽃 이야기

볕이 잘 드는 건조한 풀밭에서 자란다. '지치'와 비슷하지만, 뿌리에 지치와 같은 색소가 없다. 또 '거센털개지치'는 개지치와는 달리 거센 털이 난다.

거북꼬리 Duretia tricuspis [쐐기풀과]

줄기는 거의 털이 없고 잎자루와 함께 붉은색이 돈다. 잎은 마주나며 끝이 3개로 갈라지며 뒷면에 털이 있다.

줄기 밑부분에 수꽃이, 윗부분에 암꽃이 긴 꼬리모양 꽃차례로 달린다. 수꽃은 꽃덮이가 희고, 암꽃은 적자색의 암술대가 1개 있다.

* 여러해살이풀
* 줄기 : 50~100cm
* 개화 : 7~8월
* 열매 : 수과

들꽃 이야기

산골짜기의 물가나 숲 속 응달에서 자란다. 갈라진 잎 끝의 가운데 조각이 거북의 꼬리처럼 생겨서 거북꼬리라는 이름이 붙여졌다.

골무꽃 Scutellaria indica [꿀풀과]

줄기는 네모지고 긴 털이 있다. 잎은 마주나고 잎자루는 길이 1cm 정도이다. 잎 양면에 털이 촘촘히 나며, 가장자리에 톱니가 있다.

꽃은 자주색으로, 줄기 끝에 10개 이상이 모여 한쪽으로 달린다. 꽃부리는 입술모양이다. 열매는 검은색이다.

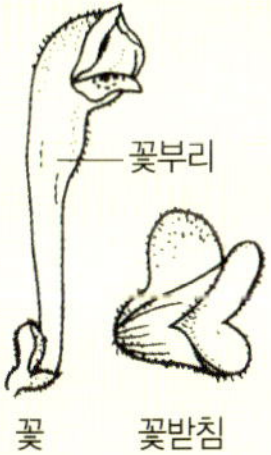

* 여러해살이풀
* 줄기 : 30~40cm
* 개화 : 5~6월
* 열매 : 분과

들꽃 이야기

제주도와 경기도, 강원도 이남의 숲 속에서 자란다. '구슬골무꽃, 가는골무꽃, 광릉골무꽃, 다발골무꽃, 참골무꽃' 등이 있다. 열매가 골무를 닮아 골무꽃이라고 부른다.

곰취 Ligularia fischeri [국화과]

줄기는 곧게 선다. 뿌리에서 난 잎은 특히 크며 잎몸은 콩팥모양의 심장형이고 잎자루는 약 60cm이다. 줄기잎은 흔히 3개이며, 잎자루 밑부분은 잎집으로 줄기를 싼다.

대롱꽃과 혀꽃으로 이루어진 지름 4~5cm의 머리모양 꽃이 꽃줄기에 노란색으로 달린다.

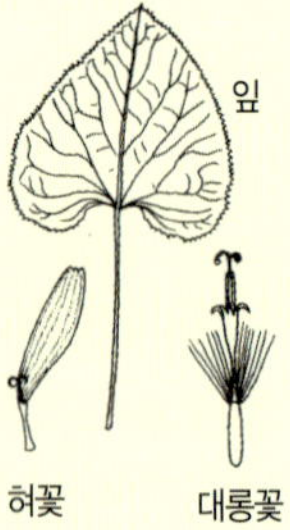

* 여러해살이풀

* 줄기 : 1~2m

* 개화 : 7~10월

* 열매 : 수과

들꽃 이야기

깊은 산속 냇가나 습지에서 자란다. 어린잎은 쌉쌀하면서 오래도록 입 안에 향기가 남아 '산나물의 제왕'이라고 불린다. 한방에서 뿌리줄기를 말려 약재로 쓴다.

금꿩의다리 Thalictrum rochebrunianum [미나리아재빗과]

줄기는 털이 없고 자색을 띤다. 잎은 어긋나고 잎몸은 3~4회 3출 겹잎이며, 긴 잎자루가 있으나 윗부분에는 없다. 작은 잎은 끝이 얕고 둔하게 3개로 갈라지며 가장자리는 밋밋하다.

꽃받침은 4개이며, 연한 자주색을 띠고 꽃이 피어도 떨어지지 않는다.

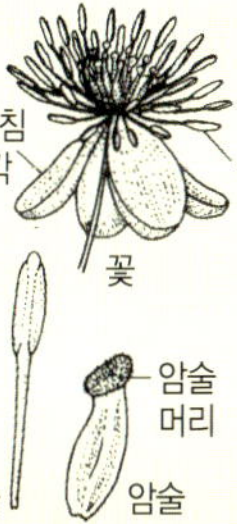

* 여러해살이풀
* 줄기 : 80~120cm
* 개화 : 7~8월
* 열매 : 수과

들꽃 이야기 *산속 풀밭에서 자란다. 꽃술이 노란 금색을 띠고, 줄기가 연약한 꿩의 다리처럼 가늘고 길어 금꿩의다리라는 이름이 붙여졌다.*

기린초 Sedum kamtschaticum [돌나물과]

줄기는 여러 개가 뭉쳐난다. 잎은 어긋나며 긴 타원형이다. 잎 끝은 둔하며 가장자리의 윗부분에 둔한 톱니가 있고 아랫부분은 밋밋하다. 잎자루가 없다.

노란 꽃은 줄기 끝에 느슨한 취산 꽃차례를 이룬다. 꽃잎과 꽃받침조각은 각각 5개이다. 열매는 세로로 갈라진다.

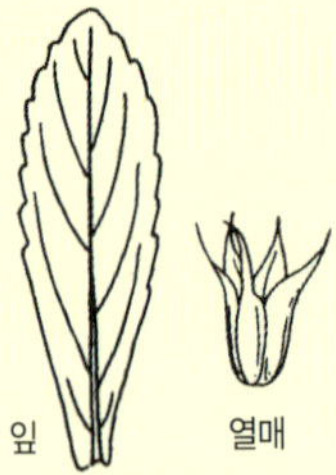

* 여러해살이풀
* 줄기 : 10~30cm
* 개화 : 6~7월
* 열매 : 골돌과

들꽃 이야기 *산속 풀밭, 바위틈이나 바닷가에서 자란다. 바위에 뿌리를 내릴 정도로 생명력이 강하다. 줄기가 기린의 목처럼 곧게 위로 뻗어서 붙여진 이름이다.*

긴사상자 Osmorhiza aristata [산형과]

줄기에 흰 털이 있다. 뿌리에서 난 잎은 2~3회 깃모양 겹잎이고 잔털이 있다. 줄기잎은 어긋나며 밑부분은 잎집으로 줄기를 감싼다.

줄기 끝에서 갈라진 가지에 흰 꽃이 우산모양 꽃차례를 이루고, 수꽃과 양성의 꽃이 섞여 핀다.

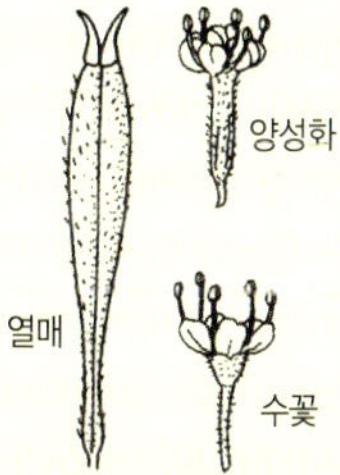

* 여러해살이풀
* 줄기 : 40~60cm
* 개화 : 5~6월
* 열매 : 분과

들꽃 이야기 *숲 속이나 산기슭 응달에서 자란다. 열매의 끝부분이 굵고 위를 향해 거친 털이 나 있어서 옷이나 동물에 잘 들러붙어 널리 퍼진다.*

께묵 Hololeion maximowiczii [국화과]

줄기는 털이 없으며, 자르면 흰 유액이 나온다. 뿌리에서 난 잎은 양끝이 좁고 잎자루는 길이 6~9cm이다. 줄기잎은 어긋나고 가장자리가 밋밋하며 잎자루가 없다.

꽃은 줄기 끝에 노란색 혀꽃만으로 이루어진 머리모양 꽃차례가 산방모양을 이룬다.

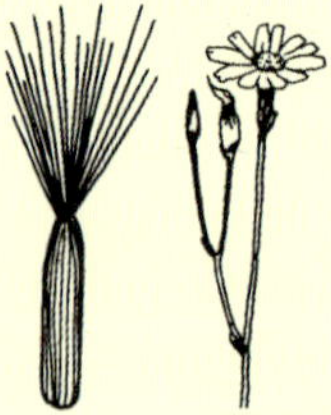

* 여러해살이풀
* 줄기 : 50~90cm
* 개화 : 8~9월
* 열매 : 수과

들꽃 이야기 숲 속 습지나 논두렁, 물가에서 자란다. '깨묵, 목쑥, 묵계명초'라고도 한다. 뿌리는 먹고 풀 전체는 약재로 쓴다. 보통 '깨묵'이라고 하는데, 께묵이 옳은 표현이다.

꼭두서니 Rubia akane [꼭두서닛과]

줄기는 길게 벋으며, 밑으로 향한 가시가 있다. 잎은 4개가 돌려나고 심장모양이며, 끝이 뾰족하고 5맥이 뚜렷하다.

잎겨드랑이에 연한 노란색 꽃이 원뿔 꽃차례를 이룬다. 꽃부리는 끝이 4~5개로 갈라진다. 수술은 4~5개, 암술대는 2개이다. 열매는 검게 익으며 매끄럽다.

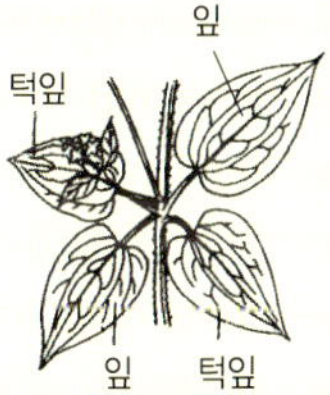

잎과 턱잎

* 여러해살이풀

* 줄기 : 2m 정도

* 개화 : 7~8월

* 열매 : 액과(장과)

들꽃 이야기 *산과 들에서 흔하게 자란다. '가삼자리, 갈퀴잎'이라고도 한다. 뿌리는 염색 재료로 쓰며, 한방에서는 말린 뿌리를 '천근'이라고 하여 약재로 쓴다.*

꽃며느리밥풀 Melampyrum roseum [현삼과]

줄기 윗부분에서 가지가 마주나게 갈라진다. 잎은 마주나고 양면에 잔털이 있다. 잎자루는 길이 7~10mm이다.

분홍색 꽃은 줄기나 가지 끝에 술모양 꽃차례를 이룬다. 꽃부리는 적자색으로 입술모양이고, 아랫입술은 가운데에 2개의 흰 무늬가 있다.

* 한해살이풀
* 줄기 : 30~50cm
* 개화 : 7~8월
* 열매 : 삭과

들꽃 이야기

볕이 잘 드는 숲 속 마른 땅에서 자란다. 아랫입술 꽃잎에 볼록 튀어나온 부분이 밥풀처럼 생긴 데서 유래한 시어머니와 며느리의 이야기가 전한다.

꿩의다리아재비 Caulophyllum robustum [매자나뭇과]

줄기에 털이 없으며, 윗부분에 1~2개의 겹잎이 달린다. 겹잎은 2~3회 깃모양으로 갈라진 여러 개의 작은 잎으로 이루어진다. 작은 잎은 끝이 얕게 2~3개로 갈라지고 가장자리는 밋밋하다.

꽃은 황록색이며 줄기 끝에 원뿔 꽃차례를 이룬다.

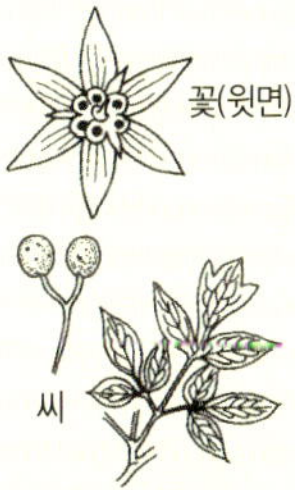

* 여러해살이풀
* 줄기 : 40~80cm
* 개화 : 6~7월
* 열매 : 장과

들꽃 이야기 *경기도와 강원도 이북의 산속 응달에서 자란다. 열매가 터져 밖으로 나온 상태로 자란 씨가 열매처럼 보인다. 한방에서 뿌리줄기를 약재로 쓴다.*

나도냉이 Barbarea orthoceras [십자화과]

줄기 전체에 털이 없다. 뿌리에서 난 잎은 긴 잎자루가 있고 깃모양으로 깊게 갈라진다. 줄기의 잎은 어긋나고 깊게 깃모양으로 갈라지며 잎자루가 없고, 잎 밑부분은 귀모양으로 넓어져 줄기를 안는다.

노란 꽃은 줄기 윗부분에서 술모양 꽃차례로 핀다.

* 두해살이풀
* 줄기 : 80~100cm
* 개화 : 5~6월
* 열매 : 장각과

들꽃 이야기

산지의 햇볕이 잘 드는 냇가나 습지에서 자란다. 냉이류와는 다른 종류이지만, 꽃이 냉이 꽃과 비슷하게 생겨 나도냉이라는 이름이 붙여졌다.

나도송이풀 Phtheirospermum japonicum [현삼과]

줄기는 곧게 서고 가지가 갈라진다. 잎은 마주나고, 길이가 고르지 않은 잎자루가 있다. 잎몸은 깃모양으로 깊게 갈라지며, 가장자리에 불규칙한 톱니가 나 있다.

꽃은 윗부분의 잎겨드랑이에 1개씩 마주나게 달린다. 꽃부리는 입술모양으로 분홍색이다.

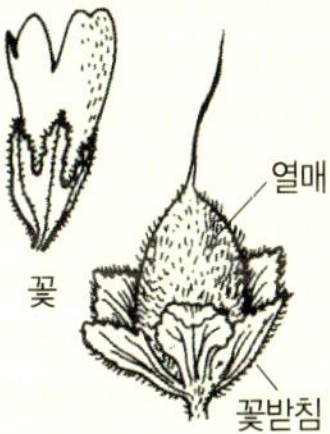

꽃받침에 싸인 열매

* 한해살이풀
* 줄기 : 20~70cm
* 개화 : 8~9월
* 열매 : 삭과

들꽃 이야기 *볕이 잘 드는 풀밭이나 산속에서 자란다. 송이풀류와는 다른 종류이지만, 잎과 꽃이 송이풀과 비슷하게 생겨서 나도송이풀이라고 부른다.*

냉초 Veronicastrum sibiricum [현삼과]

잎은 4~8개가 돌려나고 잎자루가 없다. 잎몸은 넓은 피침형으로, 끝이 뾰족하고 가장자리에 잔톱니가 있다.

꽃은 줄기 끝이나 윗부분의 잎겨드랑이에 이삭모양 꽃차례를 이루어 핀다. 꽃잎은 수평하게 퍼지며, 꽃받침은 깊게 5개로 갈라지고 넓은 피침형이다.

꽃

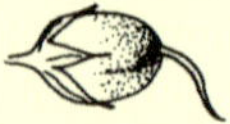

열매

* 여러해살이풀

* 줄기 : 80~130cm

* 개화 : 7~8월

* 열매 : 삭과

들꽃 이야기

경기도, 강원도 이북의 산속 습한 풀밭에서 자란다. '수뤼나물'이라고도 한다. 말린 뿌리가 냉증 치료에 특효가 있어 냉초라는 이름이 붙여졌다.

노루발풀 Pyrola japonica [노루발풀과]

잎은 뿌리에서 뭉쳐나고, 잎자루는 길이 3~8cm이다. 잎몸은 타원형으로 질이 두껍고, 앞면은 녹색이며 맥을 따라 무늬가 있고, 뒷면은 자줏빛이 돈다.

흰 꽃 5~6개가 꽃줄기 윗부분에서 느슨하게 총상 꽃차례를 이루어 밑을 향해 핀다. 열매는 갈색으로 5개로 갈라진다.

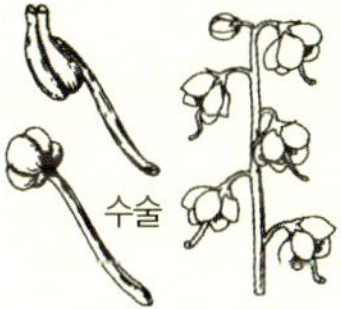

* 여러해살이풀
* 줄기 : 10~20cm
* 개화 : 6~7월
* 열매 : 삭과

들꽃 이야기

산속 응달에서 자란다. '노루발'이라고도 한다. 한방에서 생즙을 독충에 쐬었을 때 바른다. 잎 모양이 노루 발자국과 비슷하여 붙여진 이름이다.

노루오줌 Astilbe chinensis var. davidi [범의귀과]

굵은 뿌리줄기가 옆으로 벋고 갈색 털이 있다. 뿌리에서 난 잎은 잎자루가 길고 3회 3출 겹잎이며 타원형이다. 줄기의 잎은 2~3개가 어긋나고, 뿌리에서 난 잎보다 작다.

분홍색 꽃은 줄기 끝에 원뿔꽃차례를 이룬다. 꽃받침은 5개로 갈라진다.

* 여러해살이풀
* 줄기 : 40~70cm
* 개화 : 7~8월
* 열매 : 삭과

들꽃 이야기

산속 물가나 습지에서 자란다. '큰노루오줌'이라고도 한다. 땅속의 굵은 뿌리줄기에서 노루오줌 같은 냄새가 난다고 하여 노루오줌이라고 부른다.

누린내풀 Caryopteris divaricata [마편초과]

줄기는 네모지고, 악취가 난다. 잎은 마주나고 잎몸은 넓은 달걀모양이다.

꽃은 잎겨드랑이에 원뿔 꽃차례를 이룬다. 꽃부리는 자주색으로 끝이 깊게 5개로 갈라진다. 꽃받침은 종모양이며 끝이 얕게 5개로 갈라진다. 열매는 익으면 4개로 갈라진다.

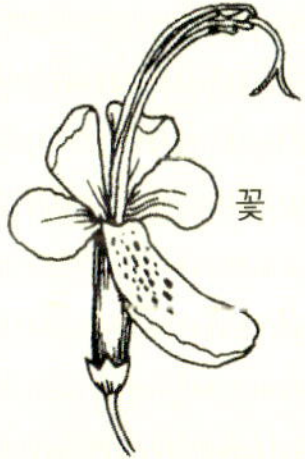

* 여러해살이풀
* 줄기 : 1m 정도
* 개화 : 7~8월
* 열매 : 분과

들꽃 이야기

숲 속에서 자란다. '노린재풀'이라고도 한다. 풀에서 비리고 역한 누린내가 난다고 하여 누린내풀이라는 이름이 붙여졌다. 이 냄새는 꽃이 필 때 더욱 심하다.

단풍마 Dioscorea septemloba [맛과]

줄기에서 갈라진 가지가 물체에 감기면서 길게 벋는다. 긴 잎자루의 밑부분에 1쌍의 작은 가시가 있다. 잎은 어긋나며 손바닥모양으로 갈라지고, 마르면 검어진다.

꽃은 암수 그루가 다르다. 황록색 꽃덮이조각은 6개이고 수평하게 퍼진다.

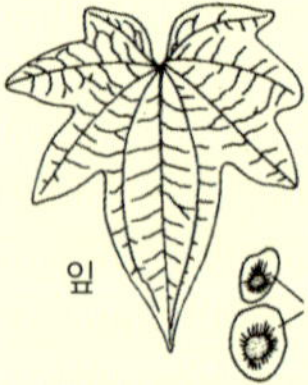

* 여러해살이풀
* 줄기 : 3~4m
* 개화 : 6~7월
* 열매 : 삭과

들꽃 이야기 *산지 숲 속이나 들에서 자란다. 한방에서 뿌리줄기를 '천산룡'이라고 하여 약재로 쓴다. 마의 한 종류로, 잎의 모양이 단풍잎과 닮아서 붙여진 이름이다.*

덩굴곽향 Teucrium viscidum var. miquelianum [꿀풀과]

줄기는 곧게 서고 네모지며, 털이 촘촘히 나 있다. 잎은 마주나고 타원형이며, 잎자루는 길이 1.5~3cm이다.

분홍색 꽃은 줄기 끝에 술모양 꽃차례로 핀다. 꽃부리는 길이 약 8mm이고 수술과 암술이 길게 위로 벋어 있다. 꽃받침은 5개로 얕게 갈라진다.

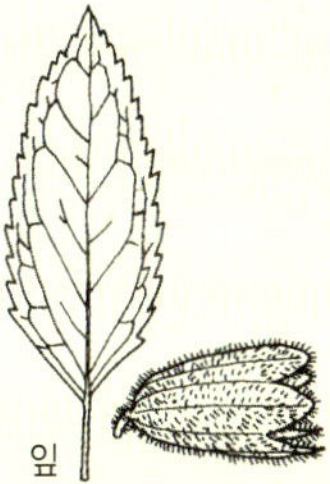

* 여러해살이풀
* 줄기 : 30~40cm
* 개화 : 7~8월
* 열매 : 분과

들꽃 이야기 *울릉도와 경기도, 강원도 이남의 산속 응달에서 자란다. 덩굴곽향이 속한 꿀풀과는 전세계에 약 3,200종이 분포하며, 우리나라에는 80여 종이 분포한다.*

도둑놈의갈고리 Desmodium oxyphyllum [콩과]

뿌리는 딱딱한 목질이다. 줄기는 털이 약간 있다. 잎은 어긋나고 긴 잎자루가 있다. 잎몸은 3출 겹잎이고, 달걀모양 또는 긴 달걀모양이다.

담홍색 나비모양 꽃은 느슨하게 긴 술모양 꽃차례를 이루며 달린다. 꼬투리는 1개의 씨가 들어 있다.

* 여러해살이풀
* 줄기 : 60~90cm
* 개화 : 7~8월
* 열매 : 꼬투리

들꽃 이야기 *산속 길가나 숲 속, 풀밭에서 자란다. 풀 이름은 열매가 도둑놈의 발자국 같아서 붙여졌다고도 하고, 껍질의 가시가 다른 물체에 잘 붙어서 붙여졌다고도 한다.*

돌양지꽃 Potentilla dickinsii [장미과]

뿌리줄기 밑부분에서 가지가 갈라지고, 줄기는 털이 촘촘하다. 뿌리에서 난 잎은 잎자루가 길며 3~5개의 작은 잎으로 이루어지고 가장자리에 톱니가 있으며 양면에 털이 있다.

노란 꽃은 줄기 끝에 산방 꽃차례를 이룬다. 열매에 꼬불꼬불한 긴 털이 있다.

잎(3출 겹잎)

* 여러해살이풀
* 줄기 : 10~20cm
* 개화 : 6~7월
* 열매 : 수과

들꽃 이야기 산중턱 이상의 바위틈에서 자란다. 산에 있는 돌이나 바위 틈에서 잘 자라고, 꽃 모양이 양지꽃과 비슷하다고 하여 붙여진 이름이다.

동자꽃 Lychnis cognata [석죽과]

줄기에 긴 털이 있다. 잎은 마주나고 잎몸은 타원형이며 잎자루가 없고 양면과 가장자리에 털이 있다.

줄기 끝과 윗부분의 잎겨드랑이에 주황색 꽃이 위를 향해 1개씩 핀다. 꽃잎은 수평하게 퍼지며, 가장자리에 잔톱니가 있고 끝이 깊게 2개로 갈라진다.

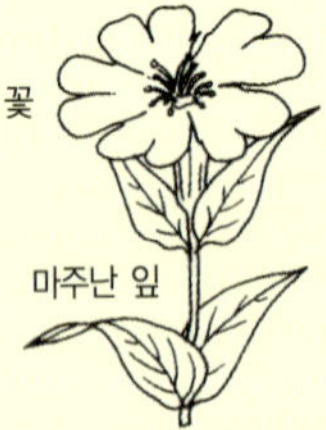

* 여러해살이풀
* 줄기 : 40~100cm
* 개화 : 7~8월
* 열매 : 삭과

들꽃 이야기

숲 속에서 자란다. 작은 꽃줄기 끝에 동글동글하게 피어 있는 꽃 모양이 활짝 웃는 어린 동자의 얼굴을 떠올리게 한다고 하여 붙여진 이름이다.

땅채송화 Sedum oryzifolium [돌나물과]

줄기는 길게 옆으로 벋고, 가지는 여러 갈래로 갈라진다. 잎은 어긋나고 잎몸은 원통형이며, 줄기 윗부분에 빽빽하게 자루 없이 달린다.

줄기 윗부분에서 갈라진 가지 끝에 노란 꽃이 집산 또는 겹집산 꽃차례로 달린다. 꽃잎은 넓은 피침형이다.

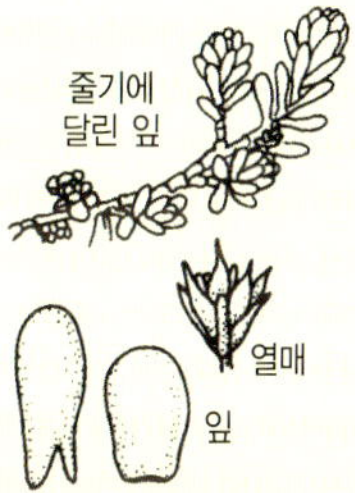

* 여러해살이풀

* 줄기 : 5~15cm

* 개화 : 5~7월

* 열매 : 골돌과

들꽃 이야기 *경기도, 강원도 이남과 독도를 포함한 울릉도와 제주도의 바닷가 산속 바위틈에서 자란다. '갯채송화, 각시기린초'라고도 한다. 관상용, 약용으로 쓰며 어린순은 먹는다.*

말나리 Lilium distichum [백합과]

비늘줄기의 비늘조각 윗부분에 마디가 있다. 피침형의 잎 8~9개가 돌려나지만, 줄기 윗부분의 잎은 어긋난다.

줄기 끝에 적황색 꽃이 2~3개 옆을 향해 달린다. 꽃덮이조각은 6개이고, 피침형으로 뒤로 젖혀지며, 짙은 갈색 반점이 있다. 수술 6개, 꽃밥은 적갈색이다.

비늘줄기

* 여러해살이풀
* 줄기 : 80cm 정도
* 개화 : 7~8월
* 열매 : 삭과

들꽃 이야기

산기슭 풀밭이나 숲 속에서 자란다. 나리류 중에서 키와 꽃송이가 커서 붙여진 이름이다. 풀의 키가 크거나 잎, 꽃의 크기가 클 때 이름 앞에 '말'자를 붙인다.

매발톱꽃 Aquilegia buergeriana var. oxysepala [미나리아재빗과]

줄기 윗부분에서 가지가 갈라진다. 뿌리에서 난 잎은 긴 잎자루가 있으며, 잎몸은 깊게 3개로 갈라지고 다시 3개로 갈라져서 잎이 9개처럼 보인다.

꽃은 줄기 끝에 1개씩 밑을 향해 달린다. 꽃받침조각은 노란색 또는 연한 자갈색이다. 꽃잎 끝이 길게 며느리발톱을 이룬다.

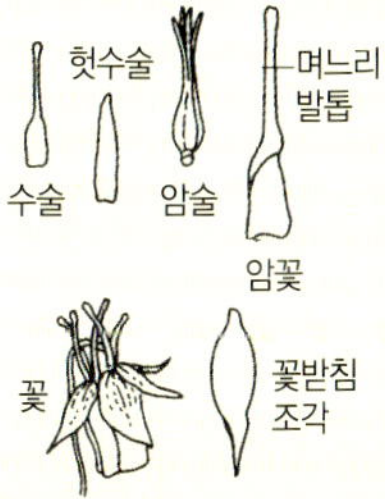

* 여러해살이풀
* 줄기 : 50~70cm
* 개화 : 6~7월
* 열매 : 골돌과

들꽃 이야기 *산속 골짜기에서 자란다. 길게 뒤로 뻗은 며느리발톱이 하늘을 나는 매의 며느리발톱을 연상시키므로 매발톱꽃이라는 이름이 붙여졌다.*

멧미나리 Ostericum sieboldii [산형과]

줄기는 속이 비어 있다. 잎몸은 질이 얇고 2~3회 깃모양 겹잎이며, 작은 잎은 넓은 달걀모양이다.

15~20개의 흰 꽃은 겹우산모양 꽃차례를 이루며, 꽃자루에는 좁은 날개와 돌기 같은 털이 있다. 열매는 타원형이며, 끝에 세모진 톱니가 있다.

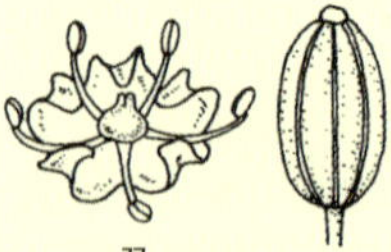

* 여러해살이풀
* 줄기 : 50~80cm
* 개화 : 7~9월
* 열매 : 분과

들꽃 이야기 *산속 습지나 냇가에서 자란다. '묏미나리'라고도 한다. 미나리의 한 종류로, 산에서 자라는 미나리라는 뜻으로 '산미나리' 또는 '묏미나리'라고 부른다.*

모시물통이 Pilea mongolica [쐐기풀과]

줄기는 담록색이며 털이 없다. 잎은 마주나고 가장자리에 7~8쌍의 규칙적인 톱니가 있다. 잎자루는 길이 1~3cm이다.

잎겨드랑이에 암수꽃이 섞여 피어 집산 꽃차례를 이룬다. 암꽃의 꽃덮이조각은 열매를 덮는다. 열매는 달걀모양으로 갈색 반점이 있다.

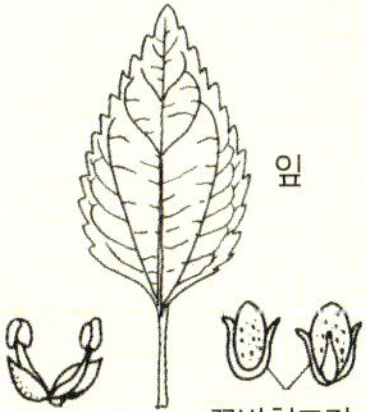

* 한해살이풀
* 줄기 : 30~50cm
* 개화 : 7~8월
* 열매 : 수과

들꽃 이야기 *산과 들의 습지에서 자란다. '푸른물통이'라고도 한다. 모시풀과 생김새가 비슷하고, 물통이처럼 물기가 많아 붙여진 이름이다. 어린잎과 줄기는 먹는다.*

민백미꽃 Cynanchum ascyrifolium [박주가릿과]

줄기는 가지가 갈라지지 않는다. 잎은 마주나고 달걀모양 또는 긴 타원형이다. 잎자루는 길이 1~1.5cm이다.

줄기 끝이나 잎겨드랑이에 흰 꽃 7~9개가 우산모양 꽃차례를 이룬다. 꽃받침은 녹색으로 5개로 갈라지고, 꽃부리는 깊게 5개로 갈라진다.

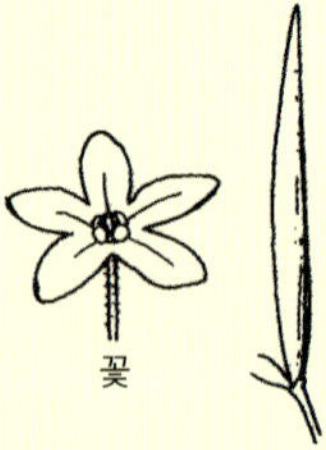

* 여러해살이풀
* 줄기 : 30~60cm
* 개화 : 5~7월
* 열매 : 골돌과

들꽃 이야기

산속 풀밭이나 약간 건조한 숲 속에서 자란다. 한방에서 뿌리를 '백전'이라고 하여 기침이 많이 날 때 먹으면 기침을 가라앉히는 약효가 있어 약재로 쓴다.

바위떡풀 Saxifraga fortunei var. incisolobata [범의귓과]

뿌리에서 난 잎은 콩팥모양으로 끝이 6~8개로 얇게 갈라지며, 가장자리에 톱니가 있다. 잎자루는 길이 5~20cm이고, 꽃줄기는 길이 10~30cm이다.

줄기 윗부분에 여러 개의 흰 꽃이 느슨하게 원뿔모양의 집산꽃차례를 이루며 핀다. 5개의 꽃잎 중 위쪽 3개는 작다.

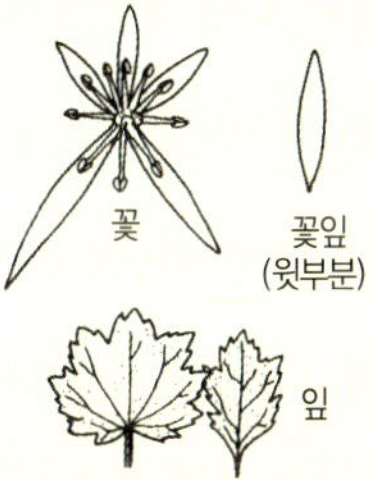

* 여러해살이풀
* 줄기 : 30cm 정도
* 개화 : 7~8월
* 열매 : 삭과

들꽃 이야기 *산속 습한 바위에서 자란다. 잎 표면에 털이 조금 있는 '지리산바위떡풀', 잎자루에 털이 많은 '털바위떡풀'은 울릉도에서 자란다. 모두 어린순은 먹는다.*

바위채송화 Sedum polytrichoides [돌나물과]

줄기 밑부분은 비스듬히 옆으로 기고 윗부분은 곧게 서며 흔히 적갈색이다. 잎은 편평한 선 모양이며, 빽빽하게 어긋나고 잎자루가 없다.

꽃은 노란색으로 가지 끝에 집산 꽃차례를 이룬다. 5개의 꽃잎은 끝이 뾰족한 좁은 피침형이다.

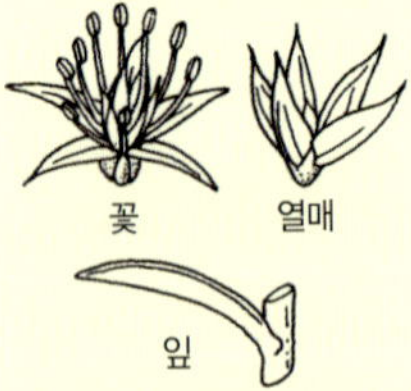

* 여러해살이풀
* 줄기 : 5~8cm
* 개화 : 7~8월
* 열매 : 골돌과

들꽃 이야기 산속 바위에서 자란다. 주로 바위에 붙어서 살며, 꽃 모양이 채송화를 많이 닮아서 바위채송화라는 이름이 붙여졌다.

박하 Mentha arvensis var. piperascens [꿀풀과]

향기가 있다. 줄기는 느슨하게 털이 있다. 잎은 마주나고 타원형이며 뒷면에는 샘점이 있다. 잎자루는 길이 3~10mm이다.

꽃은 잎겨드랑이에 층층으로 빽빽이 뭉쳐난다. 연한 보라색의 꽃부리는 중간 정도까지 깊게 4개로 갈라지고, 그 중 1개는 끝이 2개로 얕게 다시 갈라진다.

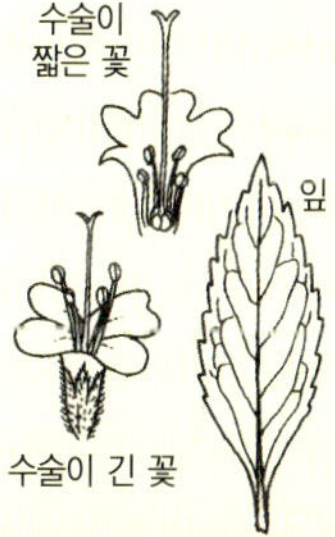

* 여러해살이풀
* 줄기 : 20~60cm
* 개화 : 7~9월
* 열매 : 분과

들꽃 이야기 *산과 들의 습지나 산기슭의 그늘에서 자란다. 향이 매우 좋아 음료, 제과에 원료로 쓰고, 잎 표면에서 나오는 기름은 식품이나 화장품의 원료로 쓴다.*

반디나물 Cryptotaenia japonica [산형과]

풀에 털이 없고 향기가 있다. 잎몸은 3출 겹잎이며, 뿌리에서 난 잎과 줄기 밑부분의 잎은 긴 잎자루가 있다. 작은 잎 가장자리에 불규칙한 톱니가 있다.

꽃은 줄기 끝과 잎겨드랑이에 흰색으로 1~4개가 모여 피는데, 끝이 안쪽으로 약간 감긴다. 열매는 긴 타원형이다.

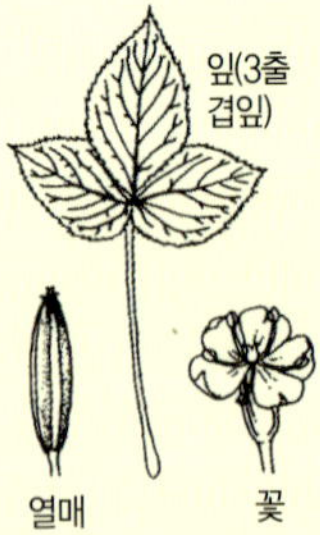

* 여러해살이풀
* 줄기 : 30~80cm
* 개화 : 6~7월
* 열매 : 분과

들꽃 이야기

숲 속에서 자란다. '파드득나물'이라고도 한다. 상쾌한 맛과 독특한 향이 있어 음식의 맛을 돋운다. 한방에서는 여름에 채취한 것을 말려 약재로 쓴다.

방아풀 Isodon japonica [꿀풀과]

줄기는 네모지고 밑으로 향한 털이 있다. 잎은 마주나고 잎자루는 길이 2~5cm이다. 잎몸은 세모진 넓은 달걀모양이며, 끝이 뾰족하고 맥 위에 털이 많다.

잎겨드랑이의 원뿔 꽃차례에 연한 청자색을 띠는 입술모양 꽃이 달린다. 꽃받침은 끝이 얕게 5개로 갈라진다.

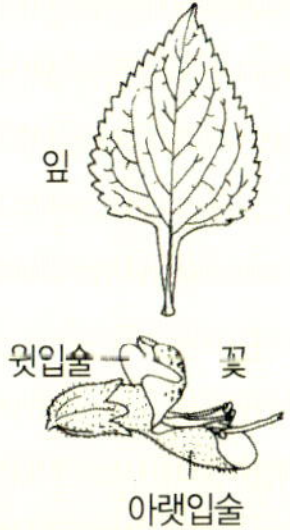

* 여러해살이풀
* 줄기 : 60~150cm
* 개화 : 8~9월
* 열매 : 분과

들꽃 이야기

산속에서 자란다. '회채화'라고도 한다. 어린순은 나물로 먹는데, 쓴맛이 나므로 데친 다음 여러 번 우려내서 먹는다. 한방에서 다 자란 풀 전체를 약재로 쓴다.

방울꽃 Strobilanthes oligantha [쥐꼬리망초과]

마디나 어린 잎에 긴 흰 털이 있다. 잎은 마주나고 잎몸은 넓은 삼각형 타원모양이다. 잎 가장자리에 둔한 톱니가 있고 뒷면 맥 위에 털이 있다.

줄기 끝이나 윗부분의 잎겨드랑이에 꽃자루가 없는 몇 개의 꽃이 빽빽이 위를 향해 핀다. 연보라색 꽃부리에 긴 털이 있다.

* 여러해살이풀
* 줄기 : 30~60cm
* 개화 : 8~9월
* 열매 : 삭과

들꽃 이야기

제주도의 숲 속 응달에서 자란다. 꽃은 아침에 피었다가 저녁에 진다. 활짝 핀 꽃의 모습이 마치 방울처럼 생겼다고 하여 방울꽃이라는 이름이 붙여졌다.

배초향 Agastache rugosa [꿀풀과]

줄기 윗부분에서 많은 가지가 갈라지고 강한 향기가 난다. 잎은 마주나며 잎자루는 길이 1~4cm이다. 잎 끝은 길게 뾰족하고 가장자리에 톱니가 있으며 뒷면에 털이 있다.

줄기 끝에 연한 자주색 꽃이 이삭모양 꽃차례를 이루며 빽빽하게 달린다.

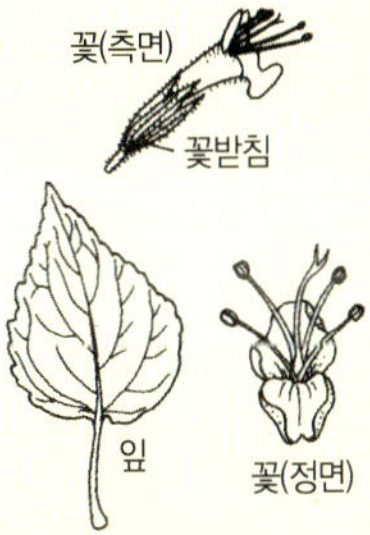

* 여러해살이풀
* 줄기 : 40~100cm
* 개화 : 7~9월
* 열매 : 분과

들꽃 이야기 *산과 들의 볕이 잘 드는 풀밭에서 자란다. '곽향'이라고도 하는데, 잎이 콩잎을 닮아 '콩'이라는 뜻의 '곽(藿)'과 향이 난다는 뜻의 '향(香)'이 합쳐서 이름 지어졌다.*

배풍등 Solanum lyratum [가짓과]

잎자루에 의해 물체에 얽힌다. 잎은 어긋나고 잎자루가 있다. 잎몸은 갈라지지 않는 것과 3~5개로 갈라지는 것 두 가지가 있으며, 끝이 뾰족하고 밑부분은 심장모양이다.

잎과 마주나는 집산 꽃차례에 5~7개의 흰 꽃이 달린다. 열매는 붉게 익는다.

* 여러해살이풀
* 줄기 : 3m 정도
* 개화 : 6~7월
* 열매 : 액과(장과)

들꽃 이야기

영호남 지방의 산속에서 자란다. 잎이 갈라지지 않고 줄기에 털이 없는 '왕배풍등'은 제주도에서 자란다. 독이 있으며, 한방에서 열매를 약재로 쓴다.

백선 Dictamnus dasycarpus [운향과]

줄기는 곧게 서고, 잎은 어긋나며 홀수 깃모양 겹잎이고, 타원형의 작은 잎은 7~9개이다. 잎 가장자리에 잔톱니가 있고, 앞면에 기름점이 있으며 특이한 냄새가 난다. 긴 잎자루가 있다.

흰색 또는 연한 보라색 꽃은 가지 끝에 술모양 꽃차례를 이루며 달린다.

* 여러해살이풀
* 줄기 : 60~90cm
* 개화 : 5~6월
* 열매 : 삭과

들꽃 이야기 *산기슭이나 볕이 잘 드는 숲 속에서 자란다. 잎 앞면에 투명한 기름샘이 있어 특유의 누린내가 나는데, 이 냄새가 양의 냄새 같다고 하여 '백양선'이라고도 한다.*

뱀무 Geum japonicum [장미과]

줄기 윗부분에서 가지가 갈라지고, 풀 전체에 길고 짧은 털이 섞여 난다. 뿌리에서 난 잎은 깃 모양 겹잎이고, 줄기잎은 3개로 갈라지며 뿌리잎보다 짧다.

가지 끝에 노란 꽃이 1개씩 달리며, 꽃받침조각은 꽃이 핀 후 밑으로 처진다. 열매에 마디가 있는 긴 털이 있다.

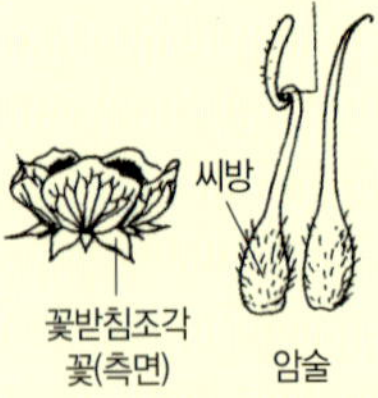

* 여러해살이풀
* 줄기 : 25~60cm
* 개화 : 6월
* 열매 : 수과

들꽃 이야기

숲 속이나 산기슭의 구릉지, 골짜기의 물가에서 자란다. 길게 죽 올라온 줄기에 뱀 머리를 닮은 홀씨주머니이삭이 나와 붙여진 이름이다.

버들분취 Saussurea maximowiczii [국화과]

줄기는 곧게 선다. 잎몸은 길이 10~30cm의 깃모양으로 깊게 4~6쌍으로 갈라지며, 꽃이 필 때도 남아 있다. 잎 양면에 짧은 털이 있고, 뒷면에 샘점이 있다.

여러 개의 자홍색 머리모양 꽃차례가 줄기나 가지 끝에 산방모양으로 달린다. 열매의 갓털은 새털모양으로 갈라진다.

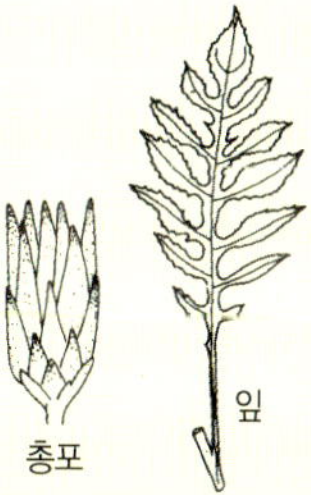

* 여러해살이풀
* 줄기 : 50~150cm
* 개화 : 7~9월
* 열매 : 수과

들꽃 이야기 *산속 볕이 잘 드는 풀밭에서 자란다. 잎이 깊게 갈라지지 않는 것을 '톱분취'라고 하며, 백두산에서 자란다. 어린순은 나물로 먹는다.*

범꼬리 Bistorta manshuriensis [마디풀과]

가지가 갈라지지 않는다. 뿌리에서 난 잎은 잎자루가 길고, 잎몸은 긴 타원형이며 가장자리가 밋밋하며 앞면은 진한 녹색, 뒷면은 연한 녹색이다. 줄기잎은 자루가 짧거나 없다.

줄기 끝에 흰 꽃이 이삭모양 꽃차례를 이룬다. 꽃잎은 없고, 5개의 꽃받침조각이 있다.

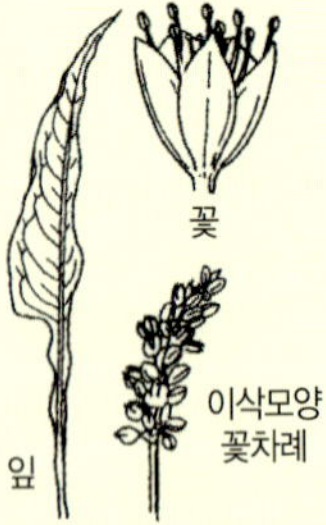

* 여러해살이풀
* 줄기 : 50~100cm
* 개화 : 6~7월
* 열매 : 수과

들꽃 이야기

깊은 산의 골짜기나 중턱 이상의 풀밭에서 자란다. '만주범의꼬리'라고도 한다. 꽃차례가 호랑이 꼬리를 닮아 붙여진 이름이다. 한방에서 뿌리줄기를 약재로 쓴다.

병풍쌈 Cacalia firma [국화과]

줄기는 곧게 벋으며, 세로로 흰 줄이 있다. 뿌리에서 커다란 잎이 1개 자란다. 잎자루는 길이 20~30cm이다. 잎은 방패모양으로 중간 정도에서 깊게 갈라진다.

꽃은 줄기 윗부분에 여러 개의 대롱꽃만인 머리모양 꽃차례를 이룬다. 갓털은 담갈색이다.

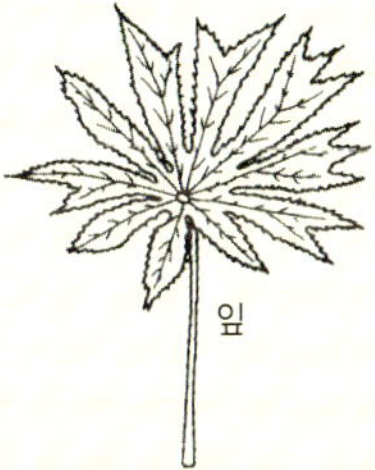

* 여러해살이풀
* 줄기 : 1~2m
* 개화 : 7~9월
* 열매 : 수과

들꽃 이야기 경기도, 강원도 이북의 숲 속 나무 그늘에서 자라며, 우리나라 고유종이다. '큰병풍'이라고도 한다. 풀에 독특한 향기가 있으며 어린 풀은 나물로 먹는다.

분취 Saussurea seoulensis [국화과]

줄기는 잎과 더불어 솜 같은 털이 있다. 뿌리에서 난 잎은 긴 잎자루가 있다. 줄기잎은 잎자루가 없고 어긋나며, 잎몸은 길이 6~11cm의 피침형이고, 가장자리에 톱니가 있다.

줄기나 가지 끝에 자색을 띠는 대롱꽃만으로 이루어진 꽃차례가 1~3개 달린다.

* 여러해살이풀
* 줄기 : 25~80cm
* 개화 : 7~9월
* 열매 : 수과

들꽃 이야기

경기도, 강원도의 산속에서 자란다. 국화과의 머리모양 꽃은 혀꽃 또는 대롱꽃만으로, 또는 혀꽃과 대롱꽃이 함께 피는 세 경우가 있다.

분홍바늘꽃 Epilobium angustifolium [바늘꽃과]

줄기는 분홍색을 띠며, 줄기에서 가지가 갈라지지 않는다. 잎은 어긋나고, 잎몸은 피침형이며 가장자리가 뒤로 말리고 뒷면은 분백색을 띤다. 잎자루는 없거나 극히 짧다.

분홍색 꽃이 줄기 끝에 술모양 꽃차례를 이루어 핀다. 열매에 굽은 털이 촘촘하다.

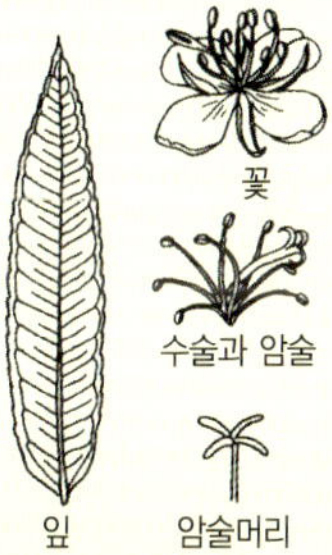

* 여러해살이풀
* 줄기 : 1~1.5m
* 개화 : 7~8월
* 열매 : 삭과

들꽃 이야기

강원도 대관령 이북 높은 지대의 볕이 잘 드는 풀밭에서 자란다. 분홍색 꽃이 진 후, 달리는 길쭉한 열매가 바늘같이 생겨서 붙여진 이름이다.

붉은서나물 Erechtites hieracifolia [국화과]

줄기는 부드럽다. 잎은 어긋나며 잎자루가 없다. 잎 밑부분은 줄기를 감싸며 가장자리에 불규칙한 톱니가 있다.

여러 개의 대롱꽃만으로 이루어진 노란색 머리모양 꽃이 줄기 윗부분에 원뿔 꽃차례를 이룬다. 꽃부리는 황록색이다. 열매는 흑갈색이다.

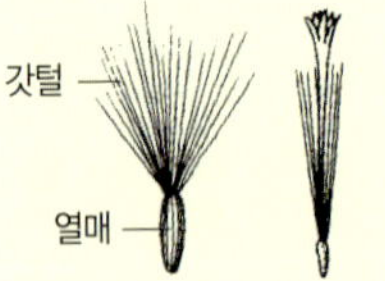

열매와 갓털 대롱꽃

* 한해살이풀
* 줄기 : 1~1.5m
* 개화 : 8~9월
* 열매 : 수과

들꽃 이야기 *산기슭이나 숲 속 그늘진 곳에서 자란다. '쇠서나물'처럼 생겼으나 털이 없다. 따라서 '붉은빛이 도는 쇠서나물'이라는 뜻에서 붉은서나물이라고 한다.*

비비추 Hosta longipes [백합과]

잎은 뿌리에서 뭉쳐난다. 잎몸은 달걀모양이며, 7~9개의 맥이 뚜렷하고 가장자리는 물결모양이다. 잎자루 밑부분에 흑자색의 반점이 있다.

꽃은 연한 자색으로 피며, 꽃부리는 끝이 깊게 6개로 갈라지고 뒤로 약간 젖혀진다. 씨는 검게 익는다.

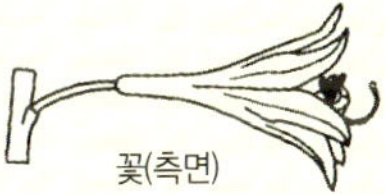

꽃(측면)

* 여러해살이풀
* 줄기 : 20~50cm
* 개화 : 7~8월
* 열매 : 삭과

들꽃 이야기 *제주도와 경기도, 강원도 이남의 산속 물가에서 자란다. 해바라기, 닭의장풀처럼 태양의 움직임을 따라 꽃잎의 방향을 바꾼다.*

비짜루 Asparagus schoberioides [백합과]

줄기는 원기둥모양이며, 많은 가지가 갈라진다. 가시처럼 변한 가지는 3~7개가 뭉쳐난다.

꽃은 3~4개가 모여 달리며, 암수그루가 다르다. 6개의 꽃잎은 백록색이다. 꽃자루는 길이 1~2mm로 짧다. 수술은 6개이며, 암꽃에 1개 암술과 6개 헛수술이 있다. 열매는 붉게 익는다.

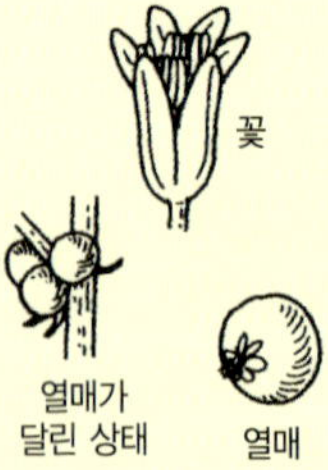

* 여러해살이풀
* 줄기 : 50~100cm
* 개화 : 6~7월
* 열매 : 액과(장과)

들꽃 이야기

산기슭의 풀밭이나 숲 속에서 자란다. '용수채, 닭의비짜루'라고도 한다. 전체적으로 풀의 생김새가 마당을 쓰는 빗자루(비짜루)와 비슷하여 붙여진 이름이다.

뻐꾹채 Rhaponticum uniflorum [국화과]

줄기는 거미줄 같은 흰 털이 촘촘하며 회백색이다. 뿌리에서 난 잎은 꽃이 필 때도 남아 있다. 줄기잎은 어긋나며, 뿌리잎과 더불어 깃모양으로 깊게 갈라진다.

꽃은 줄기 끝에 대롱꽃만인 머리모양 꽃차례를 이루어 핀다. 꽃부리는 자홍색을 띤다.

잎

* 여러해살이풀
* 줄기 : 40~70cm
* 개화 : 6~8월
* 열매 : 수과

들꽃 이야기 *산중턱 이하의 건조한 풀밭에서 자란다. '뻑꾹나물'이라고도 한다. 꽃봉오리에 붙은 바늘잎이 뻐꾸기의 가슴에 난 깃털과 비슷하여 붙여진 이름이다.*

산물통이 Achudemia japonica [쐐기풀과]

줄기는 부드럽고 흔히 적갈색을 띤다. 잎은 마주나고 잎몸은 달걀모양이며 가장자리에 2~6개의 톱니가 있다.

잎자루 밑부분에 암수꽃이 섞여 난다. 수꽃은 4~5개의 꽃덮이조각과 수술이 있다. 암꽃은 꽃덮이조각이 깊게 5개로 갈라지며 암술이 1개이다.

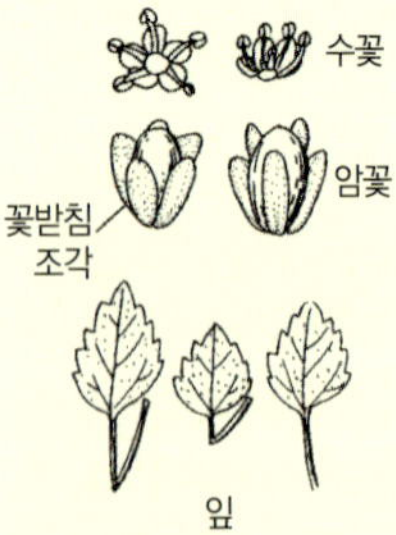

* 한해살이풀
* 줄기 : 7~25cm
* 개화 : 8~9월
* 열매 : 수과

들꽃 이야기

산속 물가나 응달에서 자란다. 산물통이는 '산에서 자라는 물통이'라는 뜻을 가지고 있는 이름으로, 수분이 많은 풀임을 뜻한다.

산박하 Isodon inflexus [꿀풀과]

줄기에 털이 있다. 잎은 마주나며, 삼각형의 넓은 달걀모양이다. 가장자리에 톱니가 있으며 밑부분은 좁아지면서 잎자루를 따라 흐른다. 잎 앞면에 털이 흩어져 나고, 뒷면에는 맥 위에만 털이 있다.

보라색 또는 흰색 꽃이 입술모양으로 갈라진다.

* 여러해살이풀
* 줄기 : 40~90cm
* 개화 : 6~8월
* 열매 : 분과

들꽃 이야기

숲 속에서 자란다. '털산박하'는 잎 뒷면에 털이 많고, '긴잎산박하'는 잎이 길며 밑부분이 뾰족하고, '영도산박하'는 가지가 많으며 달걀모양의 잎에 털이 있다.

산용담 Gentiana algida [용담과]

뿌리줄기가 있다. 뿌리에서 나는 잎은 없고, 몇 쌍의 십자로 마주나는 줄기잎이 있다. 잎몸은 선모양이거나 넓은 피침형이며, 가장자리는 밋밋하고 밑부분은 줄기를 안으며 잎집을 이룬다.

꽃받침은 5개로 깊게 갈라진다. 꽃부리는 대롱모양이며 연노란색, 청록색 반점이 있다.

꽃

* 여러해살이풀
* 줄기 : 10~20cm
* 개화 : 8~9월
* 열매 : 삭과

들꽃 이야기

낭림산맥과 부전고원, 북수백산 등 개마고원, 관모봉, 남포태산 등 함경산맥 이북으로 백두산 주변 고산 지대 자갈밭에서 자란다.

산작약 Paeonia obovata [미나리아재빗과]

잎은 어긋나며 잎몸은 2회 3출겹잎이고, 작은 잎은 길이 약 10cm, 폭 5~7cm이다. 잎자루는 길다.

꽃은 줄기 끝에 붉은색으로 1개씩 달리며, 꽃받침조각은 3개로 크기가 서로 다르다. 꽃잎은 5~8개이고 길이 2~3cm이다. 열매는 검게 익는다.

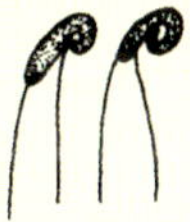

암술머리

* 여러해살이풀
* 줄기 : 30~50cm
* 개화 : 6월
* 열매 : 골돌과

들꽃 이야기

산속에서 자라며 독이 있다. 꽃이 흰 '백작약'과 꽃이 붉은 '적작약'이 있다. '산작약'은 적작약을 말하며, 긴 암술대가 뒤로 말리는 것이 특징이다.

새며느리밥풀 Melampyrum setaceum var. nakaianum [현삼과]

줄기는 곧게 서고 진한 자주색을 띤다. 잎은 마주나고 잎몸은 피침형이며 끝이 예리하게 뾰족하고 밑부분은 둥글며 가장자리가 밋밋하다.

줄기 끝에 진한 홍자색의 입술모양 꽃이 술모양 꽃차례로 핀다. 포엽은 적자색이고, 꽃받침은 4개로 갈라지며 뾰족하다.

* 한해살이풀
* 줄기 : 50~60cm
* 개화 : 8~9월
* 열매 : 삭과

들꽃 이야기 *금강산 이남 숲 속의 볕이 잘 드는 풀밭에서 자란다. 우리나라 특산물이다. 아랫입술의 중간부에 '꽃며느리밥풀'이나 '애기며느리밥풀'에서 볼 수 있는 흰 점이 없다.*

속단 Phlomis umbrosa [꿀풀과]

크게 비대한 덩이뿌리가 여러 개 있다. 줄기는 잔털이 있다. 잎은 마주나고 심장모양의 달걀형이며 긴 잎자루가 있다.

꽃은 연한 자주색으로 줄기 끝이나 잎겨드랑이에서 갈라진 가지에 8~10개씩 층층으로 2~3단으로 돌려나 원뿔 꽃차례를 이룬다.

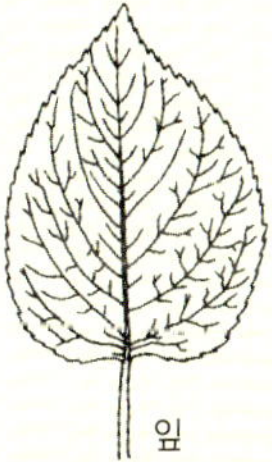

잎

* 여러해살이풀
* 줄기 : 1m 정도
* 개화 : 7월
* 열매 : 분과

들꽃 이야기 *숲 속에서 자란다. 속단이란 '부러진 뼈를 이어준다.'는 뜻으로, 한방에서 뼈가 부러졌을 때 약재로 쓰면서 붙여진 이름이다. 향기로운 냄새가 나며 맛은 쓰고 맵다.*

쇠무릎 Achyranthes japonica [비름과]

줄기는 백록색으로 마디가 굵으며, 많은 가지가 갈라진다. 잎은 마주나고, 잎몸은 피침형이며 긴 잎자루가 있고 양면에 털이 거의 없다.

꽃은 담록색으로 줄기 윗부분이나 잎겨드랑이에 이삭모양 꽃차례를 이룬다. 열매에 1개의 씨가 있다.

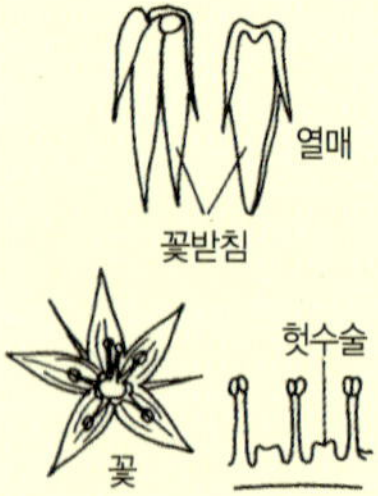

* 여러해살이풀
* 줄기 : 80cm 정도
* 개화 : 8~9월
* 열매 : 포과

들꽃 이야기

숲 속 응달에서 자란다. '산현채, 대절채, 쇠물팍, 쇠무릎지기, 은실, 백배, 마청초'라고도 한다. 어린순은 먹고, 뿌리는 술을 담근다. 한방에서 뿌리를 약재로 쓴다.

쇠서나물 Picris hieracioides [국화과]

줄기는 갈색을 띠며, 윗부분에서 가지가 갈라지고 갈고리모양의 털이 있다. 뿌리에서 난 잎은 주걱모양이다. 줄기잎은 어긋나고 거꿀피침형이며, 가장자리에 톱니가 있다.

꽃은 줄기나 가지 끝에 혀꽃만으로 이루어진 노란색 머리모양 꽃차례가 여러 개 달린다.

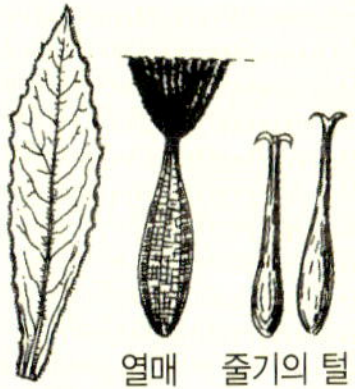

* 여러해살이풀
* 줄기 : 80~100cm
* 개화 : 6~9월
* 열매 : 수과

들꽃 이야기 *산과 들에서 자란다. '모련채, 쇠세나물'이라고도 한다. 잎에 난 거센 털이 소의 혀같이 깔깔한 느낌이어서 쇠서나물(소의 혀나물)이라고 부른다.*

수정란풀 Monotropastrum globosum [노루발과]

엽록소가 없어 흰색을 띠며, 마르면 검게 변한다. 잎몸은 비늘조각모양이며, 촘촘하게 어긋난다.

흰 꽃은 줄기 끝에 1개씩 밑을 향해 핀다. 꽃받침조각은 1~3개이고 꽃잎은 3~5개이다. 꽃잎은 긴 타원형으로, 흰 털이 있고 밑부분은 주머니모양이다.

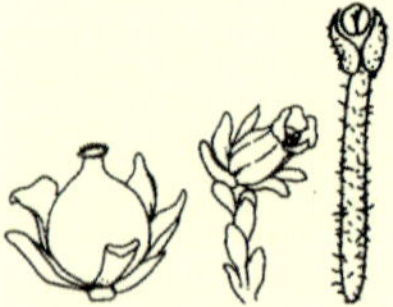

* 여러해살이풀
* 줄기 : 10~20cm
* 개화 : 7~8월
* 열매 : 액과(장과)

들꽃 이야기 *숲 속에서 자란다. '수정초, 석장초'라고도 한다. 수정란풀과 더불어 노루발과의 부생식물로, 한라산의 구상나무 숲 속에서 자라는 구상난풀이 있다.*

승마 Cimicifuga heracleifolia [미나리아재빗과]

줄기에 털이 없다. 잎은 어긋나며 2~3회 3출 겹잎이다. 작은잎은 긴 타원모양 달걀형으로, 작은 잎자루가 있고 가장자리에 불규칙한 톱니가 있다.

줄기 끝에서 갈라진 가지에 흰 꽃이 술모양 꽃차례로 양성의 꽃과 수꽃이 섞여 난다. 열매 끝에 휘어진 암술대가 남아 있다.

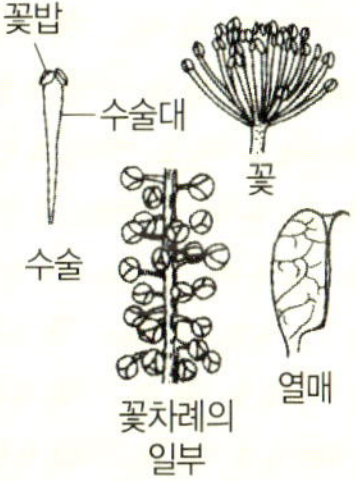

* 여러해살이풀
* 줄기 : 1~1.5m
* 개화 : 8~9월
* 열매 : 골돌과

들꽃 이야기 *산속 응달에서 자란다. '끼절가리'라고도 한다. 미나리아재빗과의 개승마, 눈빛승마, 황새승마, 승마, 왜승마, 촛대승마를 통틀어 말한다.*

시호 Bupleurum falcatum [산형과]

줄기는 가늘고, 윗부분에서 많은 가지가 갈라진다. 담록색을 띠는 잎은 어긋나며 넓은 선모양이다. 잎은 나란히 벋는 맥이 뚜렷하다.

가지 끝에 작고 노란 꽃 5~10개가 우산모양 꽃차례를 이루며 핀다. 꽃잎은 5개이며 안으로 구부러진다.

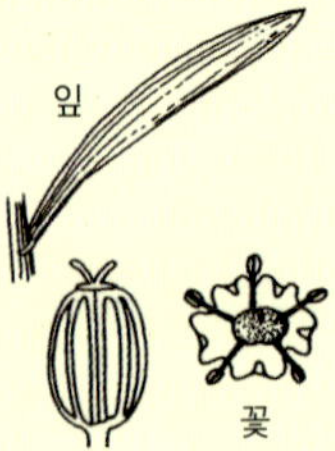

* 여러해살이풀
* 줄기 : 40~80cm
* 개화 : 8~9월
* 열매 : 분과

들꽃 이야기

산속 풀밭에서 자란다. '북시호, 묏미나리'라고도 한다. 뿌리에 사포닌과 지방유 등이 들어 있어 한방에서 해열, 진통 등에 약재로 쓴다.

쐐기풀 Urtica thunbergiana [쐐기풀과]

줄기에 아래를 향한 잔털이 촘촘히 나 있고, 긴 쐐기털이 있어 만지면 아프다. 잎은 마주나며, 가장자리에 7~11쌍의 굵은 큰 톱니가 있다.

꽃은 잎겨드랑이에 수꽃과 암꽃이 이삭모양 꽃차례로 달린다. 수꽃은 백록색이고 암꽃은 담록색이다.

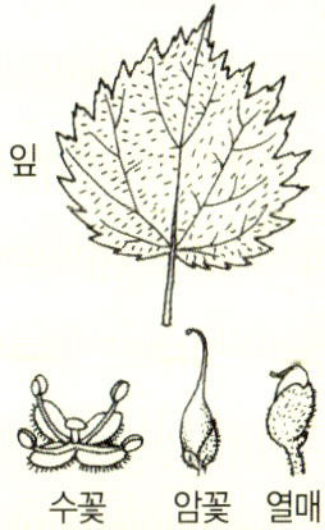

* 여러해살이풀
* 줄기 : 40~80cm
* 개화 : 7~8월
* 열매 : 수과

들꽃 이야기 *산속 응달에서 자란다. 가시에는 포름산이 들어 있어 찔리면 쐐기한테 쏘인 것처럼 아파 붙여진 이름이다. 어린순은 나물로 먹고 껍질은 섬유자원으로 쓴다.*

쑥 Artemisia princeps [국화과]

풀 전체에 거미줄 같은 털이 있다. 잎은 어긋나고, 타원형이며 깃모양으로 깊게 갈라진다.

암꽃과 양성의 대롱꽃으로 이루어진 머리모양 꽃차례는 줄기 끝에 원뿔모양을 이룬다. 대롱꽃은 양성의 꽃, 둘레에는 암꽃이며 모두 황백색이고 열매를 맺는다.

* 여러해살이풀
* 줄기 : 50~100cm
* 개화 : 8~10월
* 열매 : 수과

들꽃 이야기 *들에서 자란다. 잎을 햇빛에 말린 다음 비벼서 가루를 없애면 솜털만 남는데, 이것이 뜸을 뜰 때 쓰는 뜸쑥이다. 여름에 불을 피워 모기를 쫓기도 한다.*

애기원추리 Hemerocallis minor [백합과]

뿌리에 굵은 덩이뿌리가 생긴다. 잎은 황록색이며, 뿌리줄기에서 2줄로 마주나 꽃줄기를 서로 얼싸 안는다. 잎몸은 넓은 선 모양이다.

꽃은 꽃줄기 끝에 3~4개가 노란색으로 달리는데, 저녁에 피었다 다음 날 아침에 시들며 향기가 있다. 씨는 검고 윤기가 있다.

* 여러해살이풀
* 줄기 : 50~100cm
* 개화 : 6~7월
* 열매 : 삭과

들꽃 이야기 *숲 속 풀밭에서 자란다. 원추리속 가운데 비교적 크기가 작아 애기원추리라고 부른다. 어린순은 나물로 먹고 꽃은 데친 다음 말려서 먹는다.*

여로 Veratrum maackii var. japonicum [백합과]

독이 있다. 연녹색의 줄기 밑부분에 오래된 잎집이 갈색 섬유로 남아 있다. 밑부분에 피침형 잎이 3~4개 뭉쳐나며, 줄기는 갈라지지 않는다.

다갈색 꽃이 느슨하게 줄기 윗부분에 원뿔 꽃차례를 이루어 핀다. 밑부분에 수꽃이 달리고, 윗부분에 양성 꽃이 달린다.

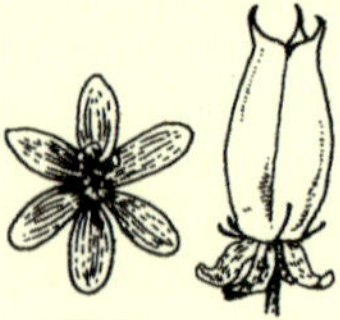

꽃(윗면) 열매

* 여러해살이풀
* 줄기 : 40~100cm
* 개화 : 7~8월
* 열매 : 삭과

들꽃 이야기 *평지나 산속 풀밭에서 자란다. 늑막염에 걸렸을 때 달여서 먹으면 병이 낫는다고 하여 '늑막풀'이라고도 부른다.*

오리방풀 Isodon excisus [꿀풀과]

줄기에 밑을 향한 털이 있다. 잎은 마주나고, 잎자루는 길이 4cm 정도이다. 잎몸은 끝이 꼬리처럼 가늘게 길며 가장자리에 톱니가 있다.

꽃은 자주색으로, 줄기 끝이나 잎겨드랑이에 술모양 꽃차례를 이룬다. 꽃받침은 녹색이며 5개로 갈라진다.

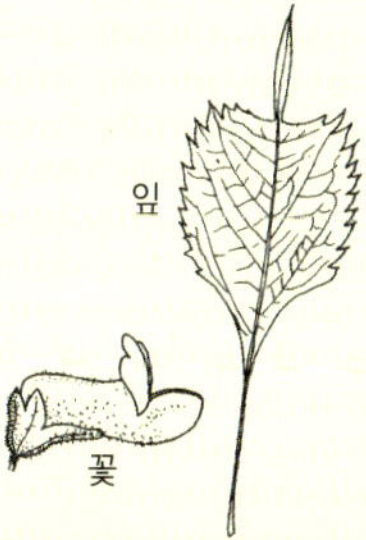

* 여러해살이풀

* 줄기 : 40~80cm

* 개화 : 6~8월

* 열매 : 분과

들꽃 이야기 *깊은 산속 응달에서 자란다. '흰오리방풀'은 꽃이 흰색이고, '지리오리방풀은' 잎의 폭이 길이보다 길며, '둥근오리방풀'은 잎이 톱니가 넓은 이빨모양이다.*

용머리 Dracocephalum argunense [꿀풀과]

줄기 밑부분에서 여러 개의 가지가 뭉쳐나며, 밑으로 향한 잔털이 있다. 잎은 마주나고 선모양이며, 가장자리는 밋밋하다.

줄기 끝에 3~4개의 입술모양 꽃이 달리며, 꽃부리의 윗입술은 끝이 파이고 아랫입술은 2개로 갈라진다. 꽃받침은 5개로 갈라지고 가시처럼 뾰족하다.

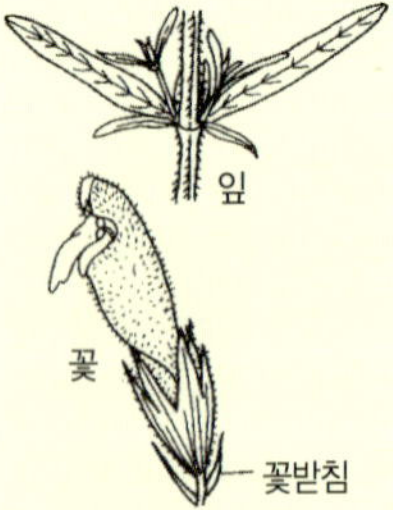

* 여러해살이풀
* 줄기 : 15~40cm
* 개화 : 6~8월
* 열매 : 분과

들꽃 이야기 *산속 볕이 잘 드는 풀밭이나 강가 모래땅에서 자란다. 꽃부리의 모양이 용머리를 닮아서 용머리라는 이름이 붙여졌다.*

우산나물 Syneilesis palmata [국화과]

줄기 밑부분의 잎은 둥근 모양으로, 손바닥처럼 7~9개로 깊게 갈라지며, 조각은 끝이 다시 2~3회 갈라진다.

10개 정도의 대롱꽃만으로 이루어진 머리모양 꽃차례가 줄기 윗부분에 원뿔모양으로 핀다. 꽃부리는 흰색 또는 연한 분홍색이다.

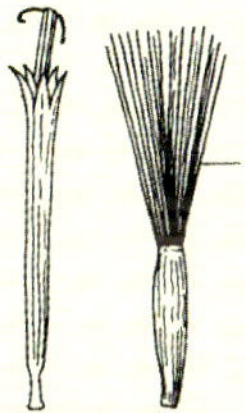

* 여러해살이풀
* 줄기 : 70~120cm
* 개화 : 7~8월
* 열매 : 수과

들꽃 이야기 *산속 응달에서 자란다. '삿갓나물'이라고도 한다. 백합과의 삿갓나물과 이름이 같다. 잎이 우산을 활짝 펴놓은 듯 자라므로 우산나물이라고 부른다.*

자주꽃방망이 Campanula glomerata var. dahurica [초롱꽃과]

전체에 잔털이 있으며, 가지가 갈라지지 않는다. 뿌리에서 난 잎은 잎자루가 길다. 줄기잎은 잎자루 없이 어긋나고 넓은 타원형이다.

줄기 끝이나 잎겨드랑이에 꽃부리가 자주색인 깔때기모양 꽃이 10개 정도 머리모양으로 뭉쳐나 위를 향해 핀다.

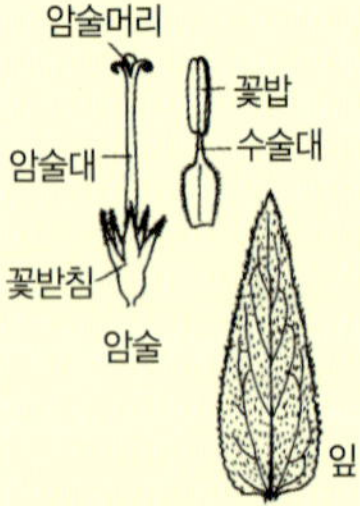

* 여러해살이풀
* 줄기 : 70~130cm
* 개화 : 7~8월
* 열매 : 삭과

들꽃 이야기

산속 풀밭이나 산기슭에서 자란다. 길게 뻗은 단단한 줄기에 자주색 꽃이 층층이 달려 있는 모습이 방망이 같아 붙여진 이름이다.

절국대 Siphonostegia chinensis [현삼과]

줄기에 잔털이 촘촘히 나 있다. 잎은 밑부분에서 마주나지만, 윗부분에서는 어긋난다. 잎몸은 깃모양으로 갈라지며 양면에 털이 있다.

꽃은 노란색으로 위쪽 잎겨드랑이에 1개씩 마주나게 달린다. 꽃받침은 대롱모양이고, 꽃부리는 입술모양이다.

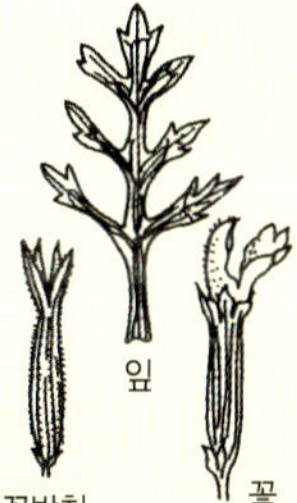

* 한해살이풀
* 줄기 : 30~70cm
* 개화 : 8~9월
* 열매 : 삭과

들꽃 이야기 *산과 들의 볕이 잘 드는 풀밭에서 자란다. '음행초'라고도 한다. 한방에서 풀 전체를 '영인진'이라고 하여 아기를 낳은 후 지혈과 부종을 치료하는 약재로 쓴다.*

절굿대 Echinops setifer [국화과]

줄기는 흰 털이 촘촘하고, 윗부분에서 2~3개의 가지가 갈라진다. 잎은 어긋나고 깃모양으로 깊게 갈라지며, 뒷면에 흰 솜털이 촘촘하고 회백색이다.

줄기 끝에 대롱꽃만으로 이루어진 노란색 머리모양 꽃차례가 1개씩 달린다. 열매는 황갈색 털이 촘촘하다.

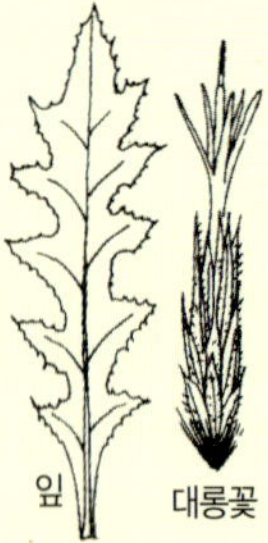

* 여러해살이풀
* 줄기 : 1m 정도
* 개화 : 7~8월
* 열매 : 수과

들꽃 이야기

볕이 잘 드는 산속 풀밭에서 자란다. '개수리취, 절구대'라고도 한다. 어린잎은 먹고, 뿌리는 민간요법에서 부스럼을 치료하는 데 쓴다.

제비쑥 Artemisia japonica [국화과]

줄기 윗부분에서 여러 갈래로 가지가 갈라진다. 잎은 어긋나며, 윗부분이 넓고 여러 갈래로 얕게 갈라진다. 잎자루가 없다.

꽃은 지름 약 1.5mm이며, 암꽃과 양성의 대롱꽃이 섞인 연노란색 머리모양 꽃이 줄기 끝에 원뿔 꽃차례를 이룬다. 열매는 길이 1mm로 털이 없다.

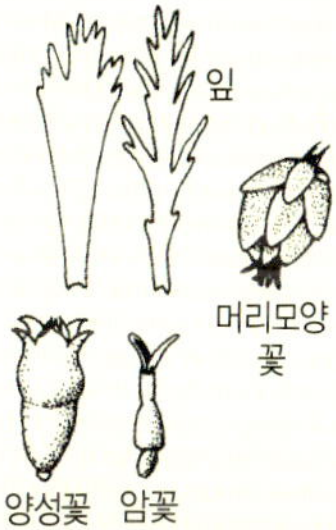

* 여러해살이풀
* 줄기 : 50~100cm
* 개화 : 7~9월
* 열매 : 수과

들꽃 이야기 *풀밭이나 산속에서 자란다. 잎자루 없이 갈라진 잎의 모양이 제비를 닮아 붙여진 이름이다. 보통 쑥보다 색이 짙어 눈에 잘 띈다.*

좀가지풀 Lysimachia japonica [앵초과]

줄기는 땅을 기거나 비스듬히 서며, 잎과 더불어 털이 있다. 잎은 마주나고 잎몸은 끝이 둥글다.

잎겨드랑이에 노란색 꽃이 1개씩 옆으로 또는 밑으로 달린다. 꽃부리는 깊게 5개로 갈라진다. 꽃받침조각은 끝이 뾰족하고 꽃잎과 길이가 거의 같다.

꽃(윗면)

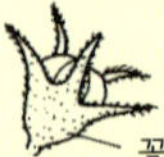

* 여러해살이풀

* 줄기 : 5~30cm

* 개화 : 5~6월

* 열매 : 삭과

들꽃 이야기

제주도와 전남, 경남 지방 산속이나 평지 길가, 풀밭에서 자란다. 열매가 작은 나뭇가지처럼 생겼다고 하여 좀가지풀이라고 부른다.

중나리 Lilium leichtlinii var. tigrinum [백합과]

비늘줄기는 지름 3~4cm이며, 비늘조각에 마디가 없다. 연한 녹색 줄기는 곧게 선다. 잎몸은 피침형이다.

줄기 끝에 2~10개의 꽃이 술 모양 꽃차례를 이루어 밑을 향해 달린다. 꽃받침조각은 피침형이며 황적색의 짙은 반점이 있고 심하게 뒤로 젖혀진다.

* 여러해살이풀
* 줄기 : 50~100cm
* 개화 : 7~8월
* 열매 : 삭과

들꽃 이야기 *경기도, 강원도 이북 산속의 볕이 잘 드는 풀밭에서 자란다. '참나리'와 비슷하지만, 전체적으로 작고 꽃의 수도 적으며 잎겨드랑이에 살눈이 생기지 않는 점이 다르다.*

쥐방울덩굴 Aristolochia contorta [쥐방울과]

줄기는 털이 없다. 잎은 어긋나며 끝이 둥글거나 둔하다.

잎겨드랑이에 담록색 꽃이 1개씩 달린다. 꽃잎은 없고 꽃덮이통은 밑부분이 둥글게 부풀어 있으며, 윗부분은 고깔모양으로 벌어지고, 한쪽 끝은 길고 뾰족하다. 열매는 꽃자루 끝에 달린다.

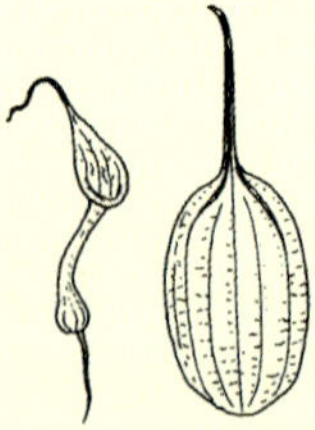

* 여러해살이풀
* 줄기 : 3~5m
* 개화 : 7~8월
* 열매 : 삭과

들꽃 이야기 *산과 들에서 자란다. 실처럼 가느다란 꽃자루 끝에 달린 열매가 앙증맞아 쥐방울덩굴이라는 이름이 붙여졌다. 한방에서 열매와 뿌리를 약재로 쓴다.*

짚신나물 Agrimonia pilosa [장미과]

줄기 윗부분에서 가지가 갈라진다. 잎은 홀수 깃모양 겹잎이며, 작은 잎은 5~9개이다. 윗부분의 작은 잎 3개는 크고 거친 톱니가 있다.

꽃은 노란색으로 줄기 끝에 이삭 꽃차례를 이루며 달린다. 열매는 위를 향한 갈고리모양의 털이 있다.

* 여러해살이풀
* 줄기 : 30~80cm
* 개화 : 6~8월
* 열매 : 수과

들꽃 이야기 *숲 속이나 길가에서 자란다. 잎의 모양이 짚신과 비슷할 뿐만 아니라, 짚신을 삶은 것처럼 나물이 맛이 없어 짚신나물이라고 부른다.*

참나물 Pimpinella brachycarpa [산형과]

줄기는 털이 없고, 윗부분에서 몇 개의 가지가 갈라진다. 잎은 어긋나고 잎몸은 3출 겹잎이다. 잎자루는 길고 밑부분은 잎집으로 어느 정도 줄기를 감싼다. 작은 잎은 가장자리에 규칙적인 톱니가 있다.

흰 꽃은 줄기나 가지 끝에 겹우산모양 꽃차례로 달린다.

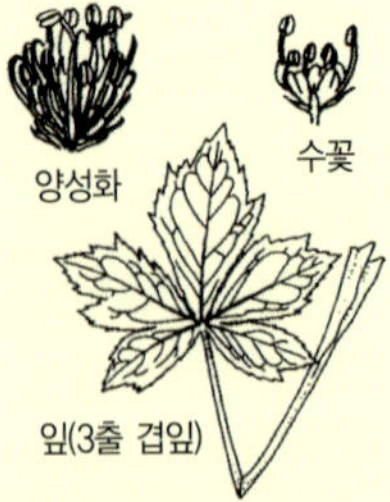

* 여러해살이풀
* 줄기 : 50~80cm
* 개화 : 7~8월
* 열매 : 분과

들꽃 이야기

산속 응달에서 자란다. 연한 부분은 날로 먹거나 김치로 담근다. 참나물에는 향긋한 향이 나는 '가는참나물', 소가 잘 먹는 '노루참나물' 등이 있다.

처녀바디 Angelica cartilaginomarginata [산형과]

줄기는 곧게 선다. 잎은 어긋나고 잎몸은 깃모양 겹잎이다. 잎의 갈라진 조각은 5~9개이며, 밑부분의 1~2쌍은 잎자루가 없거나 짧고, 가장자리는 희고 단단하며 가느다란 톱니가 있다.

흰색의 작은 꽃은 겹우산모양 꽃차례를 이룬다. 꽃차례를 이루는 가지는 8~12개이다.

잎(깃모양 겹잎)

* 여러해살이풀
* 줄기 : 50~80cm
* 개화 : 8~10월
* 열매 : 분과

들꽃 이야기

볕이 잘 드는 산속이나 습한 풀밭에서 자란다. '흰바디, 흰바디나물, 손바디나물, 처녀백지'라고도 한다. 산형과의 꽃차례는 우산모양보다 겹우산모양인 경우가 많다.

초롱꽃 Campanula punctata [초롱꽃과]

뿌리줄기는 짧으며, 옆으로 기는 가느다란 가지가 자란다. 줄기는 잎과 함께 거친 털이 나 있다. 뿌리에서 난 잎은 달걀모양의 심장형이다. 줄기잎은 어긋난다.

꽃부리는 종모양으로, 끝이 얕게 5개로 갈라지고 황백색 바탕에 짙은 반점이 있다.

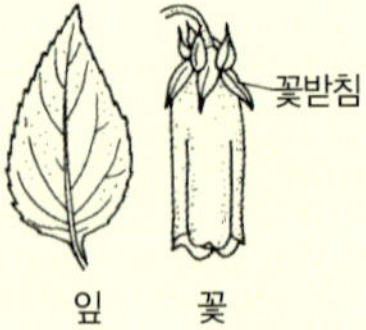

* 여러해살이풀
* 줄기 : 30~80cm
* 개화 : 6~8월
* 열매 : 삭과

들꽃 이야기

산기슭이나 산속 풀밭에서 자란다. 꽃이 초롱(호롱)같이 생겼다고 하여 초롱꽃이라는 이름이 붙여졌다. 비슷한 종으로 짙은 자주색 꽃이 피는 '자주초롱꽃'도 있다.

큰제비난 Platanthera sachalinensis [난초과]

줄기는 모가 지고 2~3개의 잎이 달린다. 잎은 어긋나고 잎몸은 긴 타원형이며, 밑부분이 좁아지면서 잎집을 이루어 줄기를 감싼다.

줄기 윗부분의 이삭 꽃차례에 여러 개의 녹백색 꽃이 느슨하게 술모양으로 달린다. 꽃가루덩이는 곤봉모양이다.

꽃

* 여러해살이풀
* 줄기 : 40~60cm
* 개화 : 7~8월
* 열매 : 삭과

들꽃 이야기 *경북 주왕산을 남한계로 태백산계를 따라 북부 지방 고지대의 숲 속에서 자란다. 비슷한 종으로 흰 꽃이 피는 '흰제비난', 연녹색 꽃이 피는 '산제비난' 등이 있다.*

탑꽃 Clinopodium gracile var. multicaule [꿀풀과]

줄기는 네모지며, 밑을 향한 털이 있다. 잎은 마주나고 잎 가장자리에 톱니가 있다. 잎자루는 길이 6~10mm이다.

꽃은 줄기 끝과 윗부분의 잎 겨드랑이에 여러 개가 돌려난다. 꽃받침은 5개로 갈라지며 털이 있다. 꽃부리는 분홍색으로 입술모양이다.

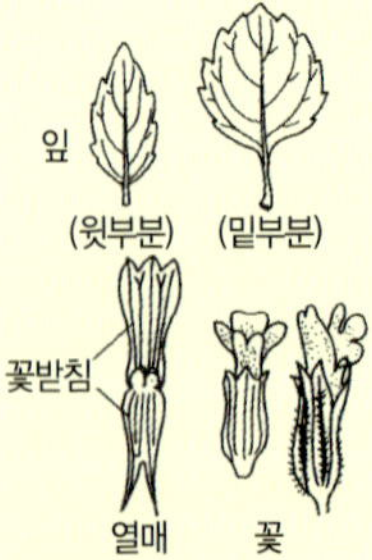

* 여러해살이풀
* 줄기 : 10~30cm
* 개화 : 6~8월
* 열매 : 분과

들꽃 이야기 *울릉도, 제주도와 남부 지방의 산속에서 자란다. '섬탑풀, 산탑꽃 산탑풀'이라고도 한다. 한방에서 풀 전체를 '전도초'라고 한다. 6~8월 채취하여 햇볕에 말려 약재로 쓴다.*

터리풀 Filipendula glaberrima [장미과]

줄기는 거의 털이 없다. 줄기잎은 어긋나며 1회 깃모양 겹잎이고, 위쪽의 작은 잎은 깊게 5~6개로 갈라지고 가장자리에 톱니가 있다.

흰 꽃은 줄기 끝에 커다란 산방 꽃차례를 이룬다. 꽃받침은 4~5개로 갈라져 밑으로 처진다. 꽃잎은 4~5개이다.

* 여러해살이풀
* 줄기 : 1m 정도
* 개화 : 6~8월
* 열매 : 삭과

들꽃 이야기

산속 응달에서 자라며, 우리나라 특산종이다. 관상용으로 심으며 어린잎은 먹는다. 평북의 강계와 대관령에는 '강계터리풀'이 자라며, 지리산에는 '지리터리풀'이 자란다.

털이슬 Circaea mollis [바늘꽃과]

뿌리줄기가 벋으면서 번식한다. 줄기에 밑을 향한 부드러운 털이 있다. 잎은 마주나고 잎몸은 긴 타원형이다.

줄기 끝에 흰 꽃이 술모양 꽃차례를 이룬다. 꽃받침, 꽃잎, 수술은 각각 2개씩 있다. 열매는 흰색의 굽은 가시털이 촘촘하며 익어도 갈라지지 않는다.

* 여러해살이풀
* 줄기 : 20~60cm
* 개화 : 8~9월
* 열매 : 삭과

들꽃 이야기

산속 응달에서 자란다. 둥근 열매에 달린 갈고리 모양의 털이 동글동글 맺혀 있는 이슬처럼 보여 털이슬이라는 이름이 붙여졌다.

토현삼 Scrophularia koraiensis [현삼과]

줄기는 털이 없다. 잎은 마주나고, 긴 타원형이며 끝이 길고 예리하게 뾰족하고, 가장자리에 규칙적인 잔톱니가 있다. 잎자루는 길이 5~10mm이다.

보라색 꽃이 줄기 윗부분에 길이 20~40cm의 취산 꽃차례를 이룬다. 꽃받침은 5개로 갈라진다.

* 여러해살이풀
* 줄기 : 120~150cm
* 개화 : 5~9월
* 열매 : 삭과

들꽃 이야기

산속에서 자란다. 우리나라 특산종이다. 한방에서 뿌리를 해열, 해독하는 데 쓰며, 털이 빽빽이 난 '일월토현삼'의 뿌리도 약재로 쓴다.

톱풀 Achillea sibirica [국화과]

줄기는 잎과 더불어 부드러운 털이 있다. 잎은 어긋나며 잎몸은 길이 5~8cm, 폭 5~15mm이고, 밑부분은 어느 정도 줄기를 감싸며, 가장자리는 규칙적으로 갈라진다.

흰색의 머리모양 꽃차례가 줄기나 가지 끝에 산방모양으로 달린다.

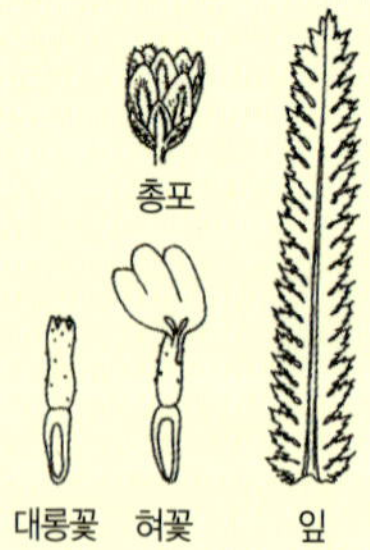

* 여러해살이풀
* 줄기 : 50~120cm
* 개화 : 7~10월
* 열매 : 수과

들꽃 이야기 *산속 풀밭에서 자란다. 잎 가장자리가 톱날처럼 갈라져 있어 톱풀이라고 부른다. 어린 순은 나물로 먹으며, 성숙한 것은 풀 전체를 약재로 쓴다.*

파리풀 Phryma leptostachya var. asiatica [파리풀과]

줄기는 둔하게 네모지고 곧게 선다. 잎은 마주나고 길이 1~4cm의 잎자루가 있다. 잎몸은 막질이며 긴 타원형이다.

입술모양의 연한 적자색 꽃은 줄기 끝에 이삭모양 꽃차례를 이룬다. 꽃부리는 아래위로 갈라지고, 아랫입술은 다시 3개로 갈라진다.

* 여러해살이풀
* 줄기 : 30~70cm
* 개화 : 7~9월
* 열매 : 삭과

들꽃 이야기 숲 속에서 자란다. 독이 있는 뿌리의 즙으로 파리를 죽이므로 파리풀이라고 한다. 민간에서 뿌리나 풀 전체를 찧어서 벌레 물린 데 붙인다.

혹쐐기풀 Laportea bulbifera [쐐기풀과]

줄기는 털이 있다. 잎은 어긋나고 긴 잎자루가 있다. 잎몸은 타원형이고, 끝이 뾰족하며 털이 있다.

암수꽃이 한 그루에서 피는데, 수꽃은 담록색으로 잎겨드랑이에 이삭모양 꽃차례를 이루며, 암꽃은 잎자루 밑부분에 살눈이 달리고, 살눈으로 번식한다.

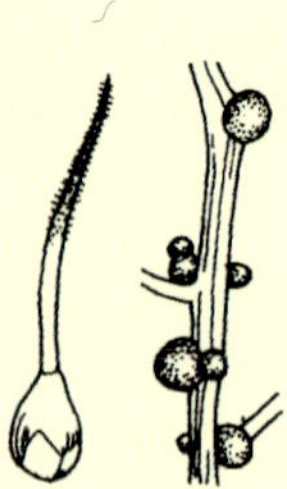

* 여러해살이풀
* 줄기 : 50~60cm
* 개화 : 7~9월
* 열매 : 수과

들꽃 이야기 *숲 속 그늘진 곳에서 자란다. 잎겨드랑이에 달려 있는 살눈이 마치 혹같이 생겨서 혹쐐기풀이라는 이름이 붙여졌다.*

황금 Scutellaria baicalensis [꿀풀과]

줄기는 네모지고 털이 있다. 잎은 마주나고 잎자루는 길이 2mm 정도이며, 잎몸은 좁은 피침형이다.

꽃은 줄기나 가지 윗부분의 잎겨드랑이에 1개씩 한쪽을 향해 수직으로 달린다. 꽃부리는 입술모양이며 끝부분은 진한 자주색이다.

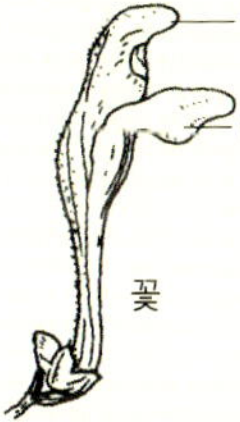

* 여러해살이풀
* 줄기 : 60cm 정도
* 개화 : 7~8월
* 열매 : 분과

들꽃 이야기

산속에서 자란다. 우리나라에서 자라는 꿀풀과 골무꽃속에 속하는 식물로는 '황금' 외에 '골무꽃, 그늘골무꽃'을 비롯해 10여 종이 있다.

물가나 습지·바닷가

가래 Potamogeton distinctus [가랫과]

뿌리줄기는 물 밑 흙 속에서 길게 옆으로 벋는다. 물속의 잎은 질이 얇고 피침형이다. 물 위에 뜬 잎은 질이 두껍고, 긴 타원형이다.

황록색의 작은 꽃은 빽빽하게 모여 이삭 꽃차례를 이루며 물 위에 핀다. 꽃에는 4개의 꽃덮이가 있다.

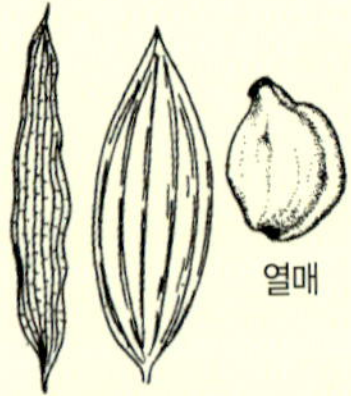

* 여러해살이풀
* 줄기 : 50~60cm
* 개화 : 6~9월
* 열매 : 핵과

들꽃 이야기 *논이나 못에서 자란다. 길쭉한 잎자루에 달린 잎의 모양이, 흙을 고르는 데 쓰는 농기구인 가래와 닮아서 붙여진 이름이다.*

개구리밥 Spirodela polyrhiza [개구리밥과]

줄기는 편평하며 뒷면은 자색을 띠고, 가운데에 뿌리가 5~11개 있다.

꽃은 좀처럼 피지 않는다. 잎 뒷면 2개의 수꽃과 1개의 암꽃이 있다. 뿌리 부착부에 싹이 생겨 번식한다. 늦가을부터 둥근 겨울나기싹(겨울눈)으로 물 밑에서 겨울을 지낸다.

* 여러해살이풀
* 줄기 : 5~10cm
* 개화 : 5~8월
* 열매 : 포과

들꽃 이야기 *논이나 늪에서 자란다. '부평초, 수평, 머구리밥, 자평'이라고 한다. 물을 깨끗하게 해 주는 식물로 알려져 있어 관상용으로 연못에 키우기도 한다.*

개발나물 Sium suave [산형과]

줄기는 많은 가지가 갈라지고 속이 비어 있다. 잎은 어긋나고 잎몸은 깃모양 겹잎이며, 작은 잎은 7~9개로 끝이 뾰족하고 가장자리에 톱니가 있다.

흰색의 작은 꽃 10~20개가 줄기나 가지 끝에 겹우산모양 꽃차례를 이루어 핀다. 꽃잎은 5개로 끝이 안쪽으로 말린다.

잎(홀수 깃모양 겹잎)

* 여러해살이풀
* 줄기 : 50~100cm
* 개화 : 7~8월
* 열매 : 분과

들꽃 이야기 *산기슭의 물가나 개울가에서 자란다. 하얗게 무리지어 핀 꽃이 개의 발자국 같다고 하여 개발나물이라고 부른다. 한방에서 뿌리로 신경통을 치료하는 약재로 쓴다.*

갯기름나물 Peucedanum japonicum [산형과]

줄기는 속이 차 있고 끝부분에만 털이 약간 있다. 땅속에 큰 덩이뿌리가 있다. 밑부분의 잎은 2~3회 깃모양으로 갈라지고, 윗부분의 잎은 3출 겹잎 또는 1~2회 깃모양 겹잎이다.

흰색의 작은 꽃 20~30개가 겹우산모양 꽃차례를 이룬다. 꽃차례 밑부분에 총포조각이 없다.

꽃 열매

* 여러해살이풀
* 줄기 : 1m 정도
* 개화 : 7~8월
* 열매 : 분과

들꽃 이야기 *남해 도서 지방, 경기도 이남 바닷가와 산속 바위틈이나 풀밭에서 자란다. '갯기름'이라고도 한다. 민간에서 뿌리 말려 기침을 멈추는 약재로 쓴다.*

갯메꽃 Calystegia soldanella [메꽃과]

희고 굵은 뿌리줄기가 모래 속에서 옆으로 벋고, 줄기가 갈라진다. 잎은 어긋나며 콩팥모양이다.

분홍색의 깔때기모양 꽃은 잎겨드랑이의 긴 자루에 1개씩 위를 향해 달린다. 열매는 포엽과 꽃받침에 싸여 있고, 속에 검고 단단한 씨가 있다.

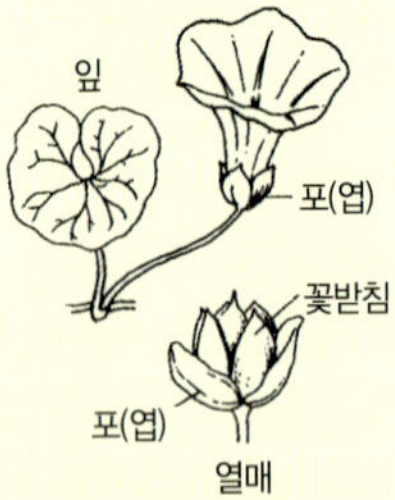

* 여러해살이풀
* 줄기 : 2~3m
* 개화 : 5~6월
* 열매 : 삭과

들꽃 이야기

바닷가 모래땅에서 자란다. '바다에서 자라는 메꽃'이라는 뜻으로, 갯메꽃이라고 부른다. '개메꽃, 산엽타완화'라는 다른 이름도 있다.

갯완두 Lathyrus japonicus [콩과]

줄기는 흰빛 연녹색이고, 털이 없으며 완두와 비슷하다. 줄기 밑부분은 땅을 긴다. 잎은 어긋나고 4~6쌍의 작은 잎은 짝수 깃모양 겹잎이며 덩굴손이 있다.

잎겨드랑이에 짙은 자색을 띠는 꽃 3~6개가 술모양 꽃차례를 이루며 핀다. 꼬투리는 익으면 흑갈색을 띤다.

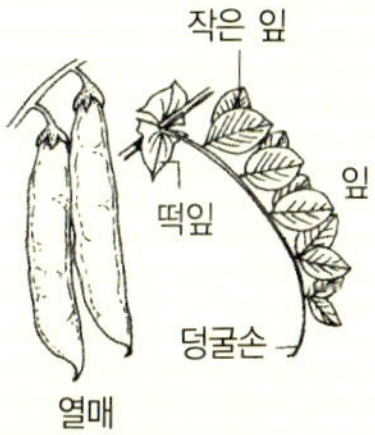

* 여러해살이풀
* 줄기 : 1m 정도
* 개화 : 5~6월
* 열매 : 꼬투리

들꽃 이야기 *바닷가 모래땅에서 자란다. '개완두, 일본향완두'라고도 한다. 갯완두의 어린 싹을 말려 약재로 쓴다. 꽃받침에 털이 난 '털갯완두'는 중부 이북에서 자란다.*

갯장대 Arabis stelleri var. japonica [십자화과]

줄기에 흰 털이 있다. 뿌리에서 난 잎은 주걱모양으로, 가장자리에 둔한 톱니가 있고, 양면에 끝이 별모양으로 갈라진 털이 촘촘하다. 줄기잎은 긴 타원형이다.

꽃은 줄기 끝에 술모양 꽃차례를 이루며, 꽃잎은 흰색이다. 씨에 좁은 날개가 있다.

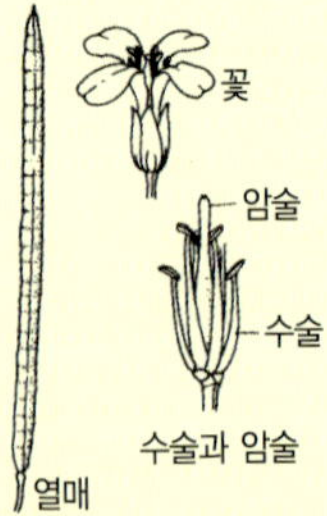

* 두해살이풀
* 줄기 : 20~40cm
* 개화 : 5~6월
* 열매 : 장각과

들꽃 이야기 *울릉도, 제주도와 남부 지방의 바닷가 풀밭에서 자란다.*

골풀 Juncus effusus var. decipiens [골풀과]

줄기는 원기둥모양이며, 매끄럽고 광택이 난다. 보통 잎이 없고 줄기 밑부분은 갈색 비늘잎으로 싸여 있다.

겉에서 보기에 꽃차례가 줄기의 중간에 달린 것 같지만 꽃차례 달린 곳이 줄기 끝이고, 그 이상은 포엽이 곧게 선 것이다. 꽃은 작고 녹갈색이다.

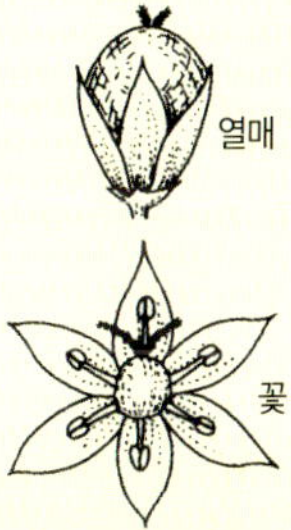

* 여러해살이풀
* 줄기 : 50~100cm
* 개화 : 7~8월
* 열매 : 삭과

들꽃 이야기 산과 들의 습지에서 자란다. 등잔불의 심지로 사용하므로 '등심초'라고도 부른다. 일본에서 다다미(일본 전통식 바닥) 위를 덮는 자리의 재료로 쓰인다.

까치수염 Lysimachia barystachys [앵초과]

줄기는 곧게 서고 갈색 털이 있다. 잎은 어긋나며 뭉쳐난 것처럼 보인다. 잎몸은 긴 타원형이며, 가장자리가 밋밋하고 끝이 뾰족하며 뒷면에 잔털이 있다.

줄기 끝에 꼬리처럼 생긴 술 모양 꽃차례에 흰 꽃이 빽빽하게 한쪽으로 처져 달린다. 5개의 꽃잎은 끝이 둥글다.

* 여러해살이풀
* 줄기 : 60~100cm
* 개화 : 6~8월
* 열매 : 삭과

들꽃 이야기

'까치수영, 꽃꼬리풀, 개꼬리풀'이라고도 한다. 개꼬리풀이라는 이름은 빽빽이 달린 흰 꽃차례가 강아지 꼬리처럼 구부러져 있어 붙여진 이름이다.

꽃창포 Iris ensata var. spontanea [붓꽃과]

꽃줄기는 여러 개가 뭉쳐난다. 뿌리줄기는 짧고 오래된 잎의 섬유질에 싸인다. 잎은 중앙맥이 뚜렷하다.

꽃은 진한 적자색으로, 꽃줄기 윗부분의 포엽겨드랑이에 1개씩 달린다. 겉꽃부리조각 밑부분 중앙부에 긴 노란색 반점이 있다.

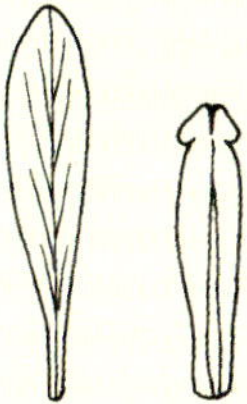

겉꽃덮이 속꽃덮이

* 여러해살이풀
* 줄기 : 60~120cm
* 개화 : 6~7월
* 열매 : 삭과

들꽃 이야기 *산과 들의 습지나 물가에서 자란다. 잎의 중간맥이 뚜렷한 것이 창포와 비슷하지만, 꽃잎이 없는 창포와는 달리 꽃이 화려하여 꽃창포라고 부른다.*

끈끈이주걱 Drosera rotundi folia [끈끈이귀갯과]

벌레잡이식물이다. 뿌리에서 난 잎은 주걱모양이고, 잎자루는 길이 2~8cm이다. 잎은 홍자색 샘털로 덮여 있는데, 이 샘털에서 분비하는 점액에 벌레가 잡힌다.

흰 꽃 10개 정도가 꽃줄기 윗부분에 한쪽으로 치우쳐 술모양 꽃차례를 이룬다.

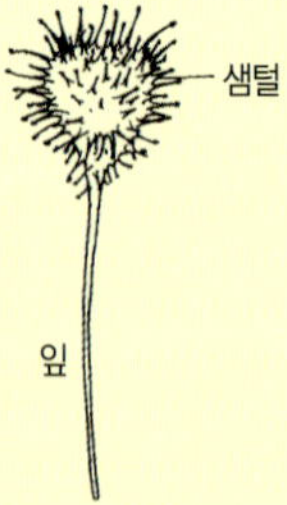

* 여러해살이풀
* 줄기 : 6~25cm
* 개화 : 7~8월
* 열매 : 삭과

들꽃 이야기

경상도 이북 볕이 잘 드는 산속 습지에서 자란다. 잎 표면의 털에서 끈끈한 액이 나오고, 둥근 잎이 좁아지면서 주걱모양을 이루어 끈끈이주걱이라고 부른다.

나문재 Suaeda asparagoides [명아줏과]

줄기에서 많은 가지가 갈라지고 회백색을 띤 녹색이며, 가을에는 밑부분부터 붉은색으로 변한다. 잎은 육질이며 빽빽하게 모여 나며 잎자루가 없다.

꽃자루가 있는 녹황색의 작은 꽃이 가지 밑부분에 1~3개 달리고, 가지 윗부분에는 빽빽하게 이삭모양으로 달린다.

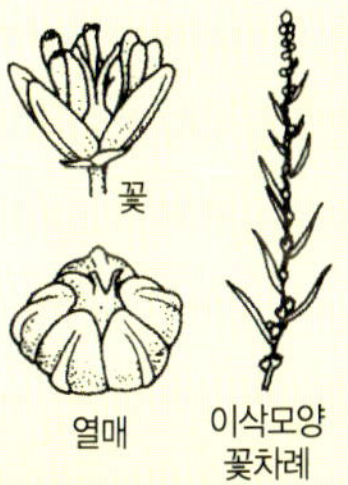

* 한해살이풀
* 줄기 : 40~100cm
* 개화 : 7~8월
* 열매 : 포과

들꽃 이야기 *바닷가 모래땅에서 자란다. '갯솔나물'이라고도 하는데, '바다에서 자라는 솔잎처럼 생긴 나물'이라는 뜻으로 붙여진 이름이다.*

낭아초 Indigofera pseudotinctoria [콩과]

풀처럼 보인다. 줄기 밑부분에서 많은 가지가 갈라져 비스듬히 땅을 기기도 한다. 잎은 어긋나며 잎몸은 7~13개의 작은 잎으로 된 홀수 깃모양 겹잎이다.

분홍색 꽃은 잎겨드랑이에 술모양 꽃차례를 이루며 어느 정도 촘촘히 달린다. 꼬투리에 3~8개의 적갈색 씨가 있다.

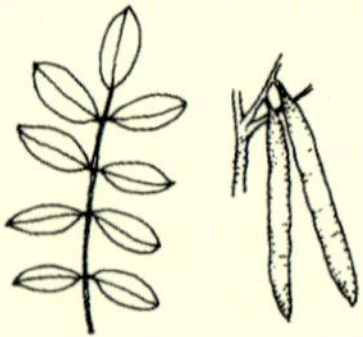

* 낙엽 활엽 관목
* 줄기 : 50~90cm
* 개화 : 7~8월
* 열매 : 꼬투리

들꽃 이야기 *제주도와 영호남 지방 바닷가 산속 풀밭이나 볕이 잘 드는 길가에서 자란다.*

노랑어리연꽃 Nymphoides peltata [조름나물과]

뿌리줄기가 길게 옆으로 벋는다. 줄기는 길게 수면까지 자라며, 잎은 긴 자루에 의해 물 위에 뜬다. 잎몸은 원형이며 가장자리는 물결모양이다.

수면 위로 자란 꽃자루에 진한 노란색 꽃이 1개씩 달린다. 꽃받침은 5개로 갈라지고 끝이 둔하다.

꽃이 달린 상태

* 여러해살이풀
* 줄기 : 8~20cm
* 개화 : 6~8월
* 열매 : 삭과

들꽃 이야기 *못에서 자란다. 잎이 연잎과 비슷하지만 크기가 작고 노란 꽃이 피어나므로 '노란 꽃이 피는 어린 연꽃'이라는 뜻으로 노랑어리연꽃이라고 부른다.*

딱지꽃 Potentillа chinensis [장미과]

줄기는 잎과 더불어 뿌리에서 뭉쳐나 옆으로 퍼진다. 잎은 어긋나고 잎몸은 홀수 깃모양 겹잎이다. 작은 잎은 15~29개이며 흰 솜털이 촘촘하다.

노란색 꽃은 여러 개가 가지 끝에 산방 꽃차례로 달린다. 꽃잎은 5개로, 뒷면에 흰 솜털이 있다.

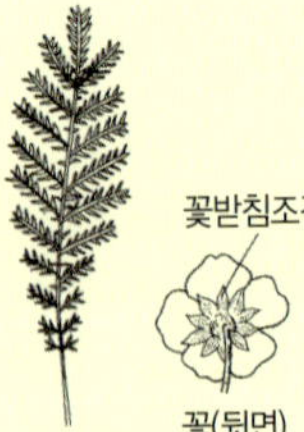

* 여러해살이풀
* 줄기 : 30~70cm
* 개화 : 6~8월
* 열매 : 수과

들꽃 이야기 *바닷가나 강가의 볕이 잘 드는 모래땅에서 자란다. 한방과 민간에서 줄기와 잎을 봄가을에 채취하여 말려서 해열과 이뇨에 달여 먹는다.*

마름 Trapa japonica [마름과]

흐르는 물에서는 자라지 않는다. 잎은 줄기 윗부분에 여러 개가 뭉쳐난다. 잎은 넓은 마름모 모양으로 물 위에 뜨며, 뒷면과 잎자루에 털이 있다.

흰색이나 붉은색 꽃이 꽃자루 끝에 달린다. 꽃자루와 꽃받침에 털이 촘촘하다. 열매 양끝에 가시가 있다.

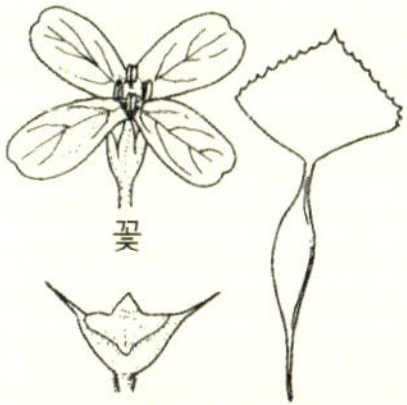

* 한해살이풀
* 줄기 : 10~20cm
* 개화 : 7~8월
* 열매 : 핵과

들꽃 이야기 *늪이나 못 바닥에서 자란다. 민간에서 열매와 줄기를 위궤양을 치료하는 데 쓴다. 녹말은 구황식품으로 이용하기도 한다.*

말똥비름 Sedum bulbiferum [돌나물과]

줄기 밑부분은 땅을 기고, 윗부분은 비스듬히 곧게 서며, 잎과 함께 털이 없다. 잎은 어긋나며, 잎몸은 주걱모양이며, 잎자루가 없다. 잎겨드랑이에 달린 살눈이 발아하여 번식한다.

노란 꽃이 줄기 끝에 집산 꽃차례를 이룬다. 꽃잎은 끝이 뾰족하다.

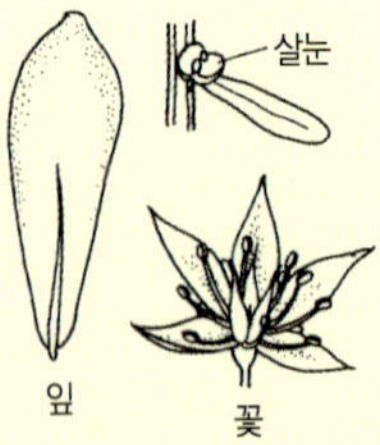

* 두해살이풀
* 줄기 : 10~20cm
* 개화 : 6~8월
* 열매 : 맺지 않음

들꽃 이야기 *논둑이나 산기슭의 습지에서 자란다. '알돌나물'이라고도 한다. 잎의 모양이 쇠비름을 닮았으며, 하찮은 풀이라는 뜻의 '말똥'을 붙여 말똥비름이라고 부른다.*

모래지치 Messerschmidia sibirica [지칫과]

뿌리줄기가 모래 속을 길게 벋는다. 줄기는 땅을 기거나 비스듬히 서고, 털이 촘촘하다. 잎은 어긋나며, 두텁고 양면에 털이 빽빽하다. 잎몸은 긴 타원형이며 잎자루가 없다.

줄기 끝이나 윗부분의 잎겨드랑이에 향기가 나는 흰 꽃이 취산 꽃차례를 이루어 핀다.

잎 꽃받침과 암술

* 여러해살이풀
* 줄기 : 20~40cm
* 개화 : 7~8월
* 열매 : 핵과

들꽃 이야기 *바닷가 모래땅에서 자란다. 겉으로 보기에는 지치같이 생겼으나 모래땅에서 자라므로 모래지치 또는 '갯모래지치'라고 부른다.*

물달개비 Monochoria vaginalis var. plantaginea [물옥잠과]

줄기는 매끄럽고 털이 없다. 잎은 뿌리에서 나고, 넓은 피침형 또는 삼각모양의 달걀형이며, 끝이 뾰족하다. 잎자루 밑부분은 잎집을 이룬다.

보라색 꽃 4~6개가 줄기 끝에 술모양 꽃차례를 이룬다. 수술 6개 중 1개만 꽃가루가 생기며 암술은 1개이다.

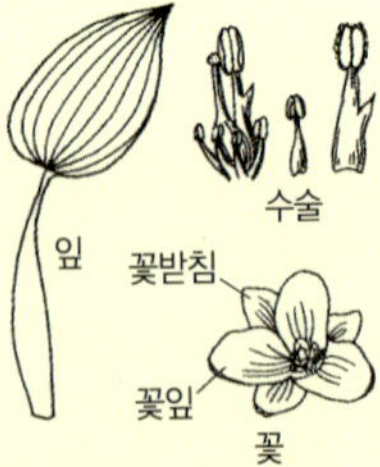

* 한해살이풀
* 줄기 : 20~30cm
* 개화 : 8~9월
* 열매 : 삭과

들꽃 이야기

제주도와 황해도, 강원도 이남의 논이나 못가에서 자란다. 달개비와 비슷하므로 '물에서 자라는 달개비'라는 뜻으로 물달개비라고 부른다.

물매화 Parnassia palustris [범의귀과]

뿌리에서 난 잎은 긴 잎자루가 있다. 꽃줄기의 중간부에 잎이 1개 있다. 잎은 넓은 달걀모양이고 가장자리는 밋밋하며, 밑 부분은 꽃줄기를 감싼다.

흰 꽃이 꽃줄기 끝에 1개씩 위를 향해 핀다. 5개의 꽃잎은 가장자리가 밋밋하다. 5개의 꽃받침 조각은 녹색이며 긴 타원형이다.

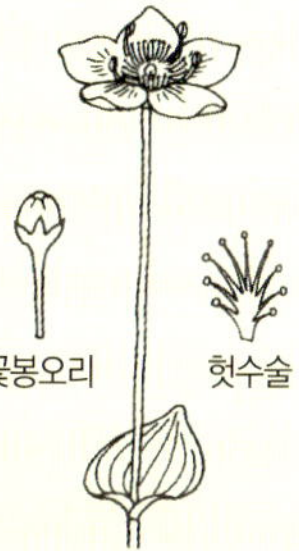

* 여러해살이풀
* 줄기 : 10~40cm
* 개화 : 7~8월
* 열매 : 삭과

들꽃 이야기 *산기슭의 물가나 습지에서 자란다. '풀매화, 물매화풀, 매화초'라고도 한다. 매화나무와 비슷하여 '물에서 자라는 매화'라는 뜻으로 붙여진 이름이다.*

물수세미 Myriophyllum verticillatum [개미탑과]

줄기는 길게 자란다. 잎은 마디마다 4개씩 돌려난다. 물속의 잎은 길이 3~4cm로 깃모양으로 갈라지고, 물 위의 잎은 길이 약 1cm이다.

줄기 끝이 물 위로 곧게 위로 벋어 이삭모양 꽃차례를 이루며 윗부분에 수꽃, 밑부분에 암꽃이 달린다.

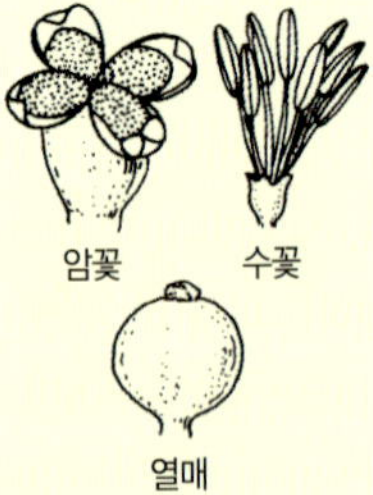

* 여러해살이풀
* 줄기 : 1m 정도
* 개화 : 7~8월
* 열매 : 핵과

들꽃 이야기 *하천이나 호수, 못에 자란다. 잎은 3~4개가 돌려나고 깃모양으로 갈라지는데, 이때 깃모양의 갈라진 조각이 수세미를 닮아 붙여진 이름이다.*

물옥잠 Monochoria korsakowii [물옥잠과]

뿌리에서 난 잎은 길이와 폭이 각각 5~10cm의 심장모양이며, 잎자루 밑부분은 잎집을 이룬다. 줄기의 잎은 잎자루가 길이 5~10cm이다.

줄기 끝에 청자색 꽃이 술모양 꽃차례로 핀다. 꽃덮이조각은 6개이며 타원형이다. 열매는 익으면 밑으로 처진다.

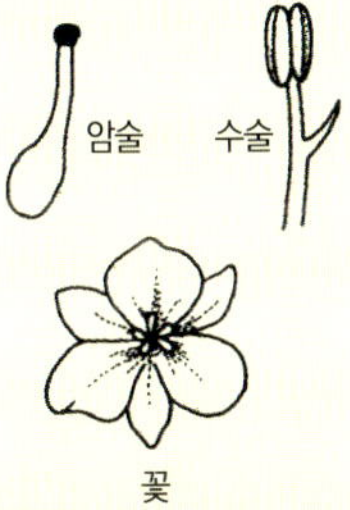

* 한해살이풀
* 줄기 : 20~30cm
* 개화 : 8~10월
* 열매 : 삭과

들꽃 이야기 *얕게 고인 물에서 자란다. 잎의 모양이 옥잠화의 잎과 비슷하여 '물에서 자라는 옥잠화'라는 뜻으로 붙여진 이름이다.*

물질경이 Ottelia alismoides [자라풀과]

뿌리줄기와 기는줄기가 있다. 잎은 뿌리에서 뭉쳐나고 잎자루가 길다. 잎몸은 넓은 피침형으로 자갈색을 띤 녹색이고, 5~9개의 나란히맥이 결맥으로 연결되어 그물모양을 이룬다.

흰색 또는 연한 분홍색 꽃이 꽃줄기 끝에 1개씩 핀다. 꽃잎은 거꿀달걀모양이다.

* 한해살이풀
* 줄기 : 25~50cm
* 개화 : 8~10월
* 열매 : 액과(장과)

들꽃 이야기

논이나 못에서 자란다. 잎의 모양이 질경이의 잎과 비슷하게 생겼으며 물에서 자라므로 물질경이라는 이름이 붙여졌다.

미나리 Oenanthe javanica [산형과]

뿌리줄기가 벋으면서 번식하며, 줄기는 곧게 선다. 잎은 어긋나고 잎몸은 2회 깃모양 겹잎이다. 긴 잎자루가 있으며, 작은 잎은 가장자리에 톱니가 있다.

줄기 끝에서 흰색의 작은 꽃 10~15개가 겹우산모양 꽃차례를 이룬다. 열매는 익어도 떨어지지 않는다.

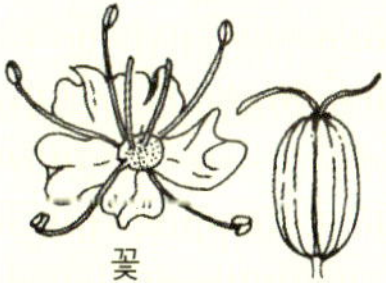

* 여러해살이풀
* 줄기 : 20~40cm
* 개화 : 7~9월
* 열매 : 분과

들꽃 이야기

냇가나 습지, 못가에서 자란다. 독특한 맛과 향이 있다. 한방에서 잎과 줄기를 몸에 열이 많이 나서 가슴이 답답하고 갈증이 날 때 약재로 쓴다.

바늘꽃 Epilobium pyrricholophum [바늘꽃과]

줄기는 곧게 서고, 윗부분에서 많은 가지가 갈라지며 샘털이 있다. 잎은 마주나고 잎자루는 없거나 극히 짧다. 잎몸은 긴 타원형으로 밑부분은 넓은 쐐기모양이거나 어느 정도 심장모양이며 줄기를 감싸기도 한다.

자홍색 꽃이 잎겨드랑이에 1개씩 달린다.

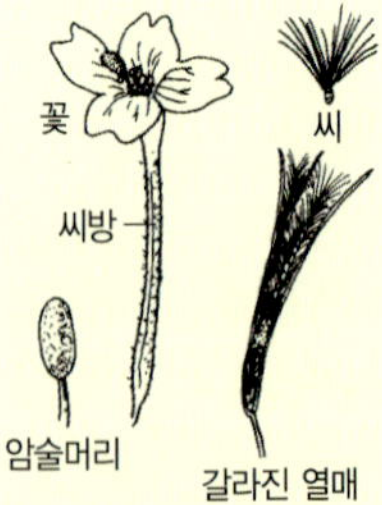

* 여러해살이풀
* 줄기 : 20~90cm
* 개화 : 7~8월
* 열매 : 삭과

들꽃 이야기

산과 들의 물가나 습지에서 자란다. 꽃이 지면 씨방이 바늘처럼 길쭉하게 자라는데, 그 생김새에 비유하여 바늘꽃이라는 이름이 붙여졌다.

벗풀 Sagittaria trifolia [택사과]

뿌리줄기가 옆으로 벋으며, 가지 끝에 작은 덩이뿌리가 생긴다. 잎은 뿌리에서 뭉쳐나고, 밑부분이 화살모양으로 깊게 갈라진다.

곧게 선 꽃줄기에 흰 꽃이 마디마다 3개씩 돌려나 원뿔 꽃차례를 이루며 위쪽은 수꽃, 아래쪽은 암꽃이 달린다.

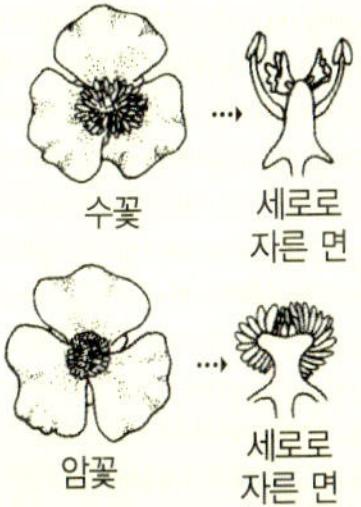

* 여러해살이풀

* 줄기 : 20~80cm

* 개화 : 8~10월

* 열매 : 수과

들꽃 이야기 *논이나 못에서 자란다. 학명 'Sagittaria trifolia'에서 'Sagittaria'는 화살을 뜻하는 라틴어로, 잎이 화살처럼 뾰족하여 붙여진 이름이다.*

부들 Typha orientalis [부들과]

뿌리줄기는 땅속으로 길게 옆으로 벋는다. 줄기는 털이 없으며 매끄럽다. 잎자루가 없다. 잎몸은 좁은 선모양으로, 털이 없고 밑부분은 겹쳐져 잎집을 이룬다.

수꽃이삭은 윗부분에, 암꽃이삭은 수꽃이삭 바로 밑에 달린다. 꽃받침과 꽃잎이 없다.

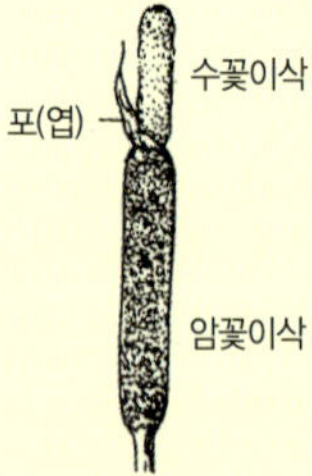

* 여러해살이풀
* 줄기 : 1~1.5m
* 개화 : 7월
* 열매 : 소견과

들꽃 이야기 *제주도와 황해도, 강원도 이남의 얕은 못가나 습지에서 자란다. 잎은 방석을 만들고, 꽃가루는 한방에서 약재로 쓴다. 잎이 부들부들 부드러워 부들이라고 부른다.*

부레옥잠 Eichhornia crassipes [물옥잠과]

수염뿌리가 빽빽이 퍼져 있다. 둥글게 부푼 잎자루는 공기가 들어 있어 부낭 역할을 한다.

연한 보라색 꽃이 술모양 꽃차례를 이루어 핀다. 꽃덮이는 긴 타원형이고, 윗부분의 1개는 자주색 무늬에 둘러싸인 노란색 반점이 있다. 꽃은 하루만 피었다 시들어 버린다.

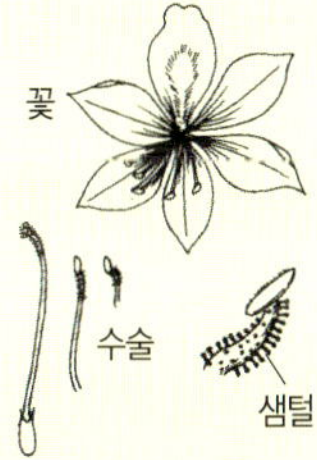

* 여러해살이풀
* 줄기 : 20~30cm
* 개화 : 8~9월
* 열매 : 삭과

들꽃 이야기 *논이나 못에서 자란다. 잎자루 가운데가 불룩하게 부푼 모양이 물고기의 부레를 닮았으며, 잎은 옥잠화와 비슷하여 부레옥잠이라고 부른다.*

부처꽃 Lythrum anceps [부처꽃과]

땅속을 벋는 뿌리줄기에서 네모진 줄기가 곧게 벋으며 털이 없다. 잎은 마주나고, 잎자루가 없으며, 잎몸은 긴 타원형이고 가장자리가 밋밋하다.

잎겨드랑이에 홍자색 꽃 3~5개가 돌려난다. 꽃받침은 끝이 얕게 6개로 갈라지며, 꽃잎은 6개로 수평하게 퍼진다.

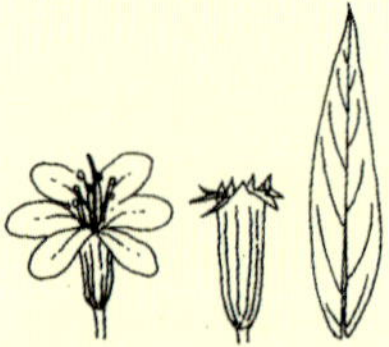

* 여러해살이풀
* 줄기 : 1m 정도
* 개화 : 7~8월
* 열매 : 삭과

들꽃 이야기 *냇가나 산기슭의 습지에서 자란다. 옛날 음력 7월 15일 백중날, 절을 찾아가 부처님께 이 꽃을 바친 데서 유래하여 부처꽃이라고 부른다.*

붕어마름 Ceratophyllum demersum [붕어마름과]

뿌리는 발달하지 않고, 줄기는 가늘다. 잎은 실처럼 가늘고 5~12개가 돌려나며 가시모양의 톱니가 있고, 잎자루가 없다.

잎겨드랑이에 꽃자루가 없는 연분홍색 꽃이 달린다. 수술대가 없는 수술이 여러 개 있으며 암꽃은 가시처럼 생긴 암술대 1개만이다.

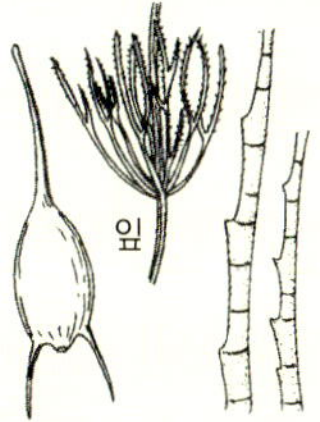

* 여러해살이풀
* 줄기 : 20~80cm
* 개화 : 6~8월
* 열매 : 수과

들꽃 이야기 *못이나 늪, 담수에서 자란다. '금붕어풀, 금어조, 금어초'라고도 한다. 금붕어를 기르는 어항에 많이 심어 붕어마름이라고 부른다.*

사마귀풀 Aneilema keisak [닭의장풀과]

줄기 밑부분은 비스듬히 땅을 기고, 잎과 더불어 연한 적자색이다. 땅을 기는 줄기의 마디마다 수염뿌리가 돋는다. 잎은 어긋나며 좁은 피침형이고 가장자리에 털이 있다.

연한 분홍색 꽃이 줄기 윗부분의 잎겨드랑이에 1개씩 달린다. 꽃잎은 달걀모양이다.

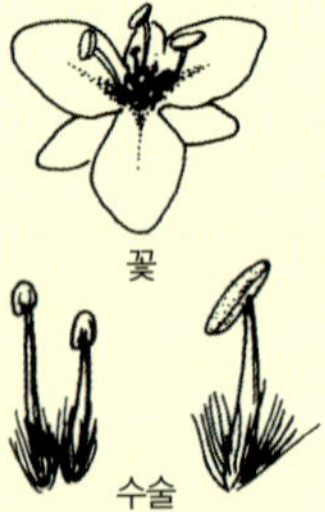

* 한해살이풀
* 줄기 : 20~40cm
* 개화 : 8~9월
* 열매 : 삭과

들꽃 이야기 *물가나 습지에서 자란다. 풀을 찧어 사마귀에 붙이면 사마귀가 떨어진다고 하여 붙여진 이름이다. 여름에서 가을에 걸쳐 난 풀을 말려 약재로 쓴다.*

사철쑥 Artemisia capillaris [국화과]

줄기에서 많은 가지가 갈라진다. 뿌리에서 난 잎은 흰 털로 덮여 있으나 꽃이 피면 털이 없는 잎으로 바뀐다. 잎몸은 잘게 갈라지고, 잎자루 밑부분은 줄기를 감싼다.

암꽃과 양성의 대롱꽃만으로 이루어진 머리모양 꽃이 원뿔꽃차례를 이룬다.

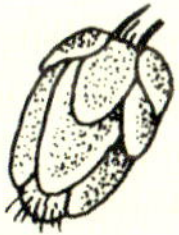

머리모양 꽃

* 여러해살이풀
* 줄기 : 30~60cm
* 개화 : 8~9월
* 열매 : 수과

들꽃 이야기 *강가나 바닷가 모래땅에서 자란다. '애탕쑥, 사철산쑥, 인진, 인진쑥, 인진호'라고도 한다. 사철쑥으로 만든 떡을 '인진병'이라고 하여 오래 전부터 즐겨 먹었다.*

석잠풀 Stachys riederi var. japonica [꿀풀과]

흰 뿌리줄기가 옆으로 벋고, 줄기는 곧게 선다. 가지가 갈라지지 않으며, 털이 없다. 잎은 마주나고 피침형이며 잎자루가 있다.

잎겨드랑이에 입술모양의 분홍색 꽃이 촘촘하게 돌려난다. 꽃받침은 가시처럼 잘게 갈라지고, 꽃부리는 짙은 붉은색 반점이 있다.

* 여러해살이풀
* 줄기 : 40~70cm
* 개화 : 7~8월
* 열매 : 분과

들꽃 이야기 *물가나 논두렁에서 자란다. 한방에서 뿌리를 제외한 풀 전체를 '초석잠'이라고 하는데, 미열이 있고 소변을 잘 못 보며 몸이 붓는 증상에 약재로 쓴다.*

쇠보리 Ischaemum crassipes [벼과]

줄기는 밑부분에서 많은 가지가 갈라진다. 잎 양면에 털이 없으며, 가장자리는 껄끄럽다. 꽃차례는 원통모양을 이룬다.

섵싹시(첫째 포영)는 10맥이 있고, 속깍지(둘째 포영)에는 3~4맥이 있다. 겉겨(호영)는 끝이 갈라진다. 3개의 수술이 있으며, 암술대는 2개이다.

* 여러해살이풀
* 줄기 : 30~70cm
* 개화 : 7월
* 열매 : 영과

들꽃 이야기 *제주도와 황해도, 강원도 이남 바닷가 모래땅이나 산기슭에서 자란다. 해안, 강가, 사막 등 모래에서 자라는 사지식물은 쇠보리 외에 '갯방풍, 보리사초, 갯메꽃, 쇠보리' 등이 있다.*

수련 Nymphaea tetragona [수련과]

잎은 수면에 뜨고 잎몸은 원형 또는 타원형이다. 잎 앞면은 광택이 나는 녹색이고 뒷면은 흑자색이다.

꽃은 물 위에 핀다. 녹색의 꽃받침조각이 4개이고, 흰 꽃잎과 수술은 각각 여러 개이며 암술은 1개이다. 열매는 익으면 여러 개의 씨를 물속으로 퍼뜨린다.

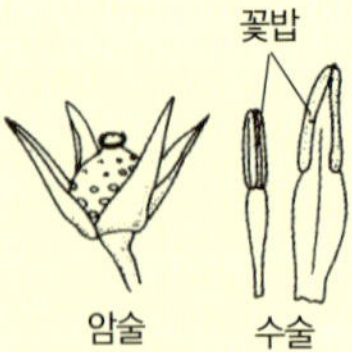

* 여러해살이풀
* 줄기 : 물의 깊이에 따라 다름
* 개화 : 6~7월
* 열매 : 삭과

들꽃 이야기 *못에서 자란다. 수련의 속명 'Nymphaea'는 로마 신화에 나오는 물의 여신의 이름 '님프(Nymph)'에서 유래되었다. 꽃말은 '청순한 마음'이다.*

수염가래꽃 Lobelia chinensis [숫잔댓과]

줄기 밑부분이 땅을 기고, 윗부분은 곧게 선다. 잎은 어긋나고 피침형이며, 가장자리에 둔한 톱니가 있고 잎자루가 없다.

잎겨드랑이에 연분홍색 꽃이 1개씩 위를 향해 핀다. 꽃부리는 깊게 5개로 갈라지며 3개는 밑으로, 2개는 위나 좌우로 퍼진다.

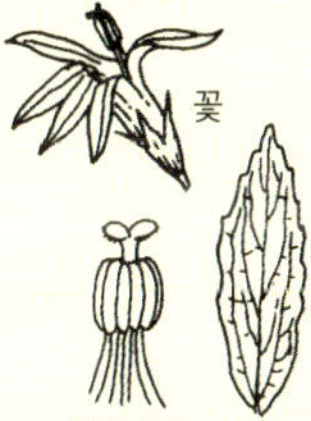

* 여러해살이풀
* 줄기 : 3~15cm
* 개화 : 6~10월
* 열매 : 삭과

들꽃 이야기 *논두렁이나 습지에서 자란다. '세미초, 과인초, 반변하화'라고도 한다. 중국에서는 독사에 물리거나 벌에 쏘였을 때 이 풀을 문질러서 바른다.*

쉽싸리 Lycopus lucidus [꿀풀과]

줄기는 네모지고 곧게 선다. 가지가 갈라지지 않으며 마디에 흰 털이 있다. 잎은 마주난다.

흰 꽃이 윗부분의 잎겨드랑이에서 층층으로 여러 개 달린다. 꽃받침은 중간 정도까지 5개로 갈라지고, 입술모양의 꽃부리는 윗입술은 2개로, 아랫입술은 3개로 갈라진다.

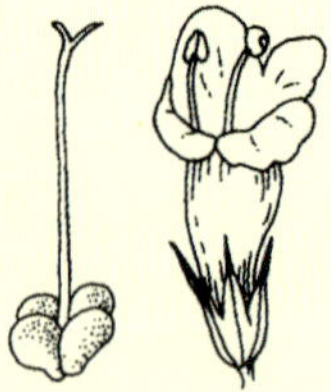

* 여러해살이풀
* 줄기 : 80~120cm
* 개화 : 8~10월
* 열매 : 분과

들꽃 이야기 습지나 냇가에서 자란다. '지삼, 택란, 지순, 개조박이, 지과인묘, 쉽사리'라고도 한다. 연한 부분은 나물로 먹고, 다 자라서 성숙한 부분은 약재로 쓴다.

애기부들 Typha angustata [부들과]

뿌리줄기는 옆으로 벋고, 줄기는 곧게 선다. 잎은 좁은 선모양이고 털이 없으며 가장자리가 밋밋하고 밑부분은 잎집이 되어 줄기를 감싼다.

수꽃이삭은 암꽃이삭과 길이가 비슷하거나 약간 짧다. 원기둥모양의 열매이삭은 붉은빛 갈색이다.

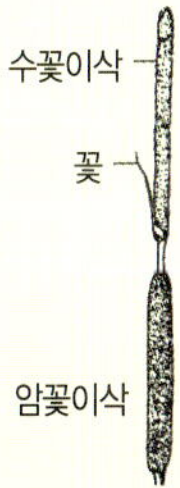

* 여러해살이풀
* 줄기 : 1.5~2m
* 개화 : 6~7월
* 열매 : 소견과

들꽃 이야기 *제주도와 경기도 이남의 얕은 물가에서 자란다. 암꽃이삭과 수꽃이삭이 바로 붙어 있지 않고 사이가 비어 있어 큰부들과 쉽게 구별된다. 잎으로 방석을 만든다.*

어리연꽃 Nymphoides indica [조름나물과]

뿌리줄기는 짧고 수염뿌리가 있다. 잎은 원형이며 수면에 뜨고, 밑부분은 길게 갈라지며 윤이 난다. 잎자루 밑부분이 귀모양으로 갈라져 꽃차례를 감싼다.

물 위로 나온 꽃차례 가지 끝에 흰 꽃이 1개씩 핀다. 꽃부리는 깊게 5개로 갈라지며, 안쪽에 흰색의 긴 털이 촘촘하다.

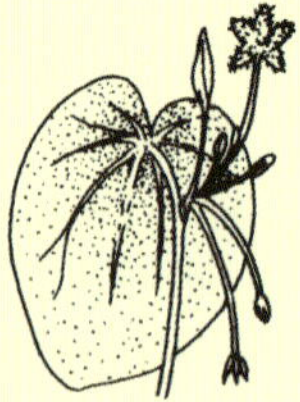

* 여러해살이풀
* 줄기 : 1m 이상
* 개화 : 7~8월
* 열매 : 삭과

들꽃 이야기 *제주도와 경기도 이남의 늪이나 못에서 자란다. 한방에서 잎을 '금은련화'라고 하여 약재로 쓰는데, 갈증을 풀어 주고 위를 튼튼히 하는 효과가 있다.*

여뀌바늘 Ludwigia prostrata [바늘꽃과]

줄기는 네모지고 붉은빛이 돌며, 털이 없고 많은 가지가 갈라진다. 잎은 어긋나며 피침형이고 앞면에 광택이 있다. 잎자루는 길이 5mm 정도이다.

노란 꽃이 잎겨드랑이에 핀다. 꽃받침조각, 꽃잎, 수술은 각각 4개씩이다. 원기둥모양의 긴 씨방이 꽃자루처럼 보인다.

* 한해살이풀
* 줄기 : 30~70cm
* 개화 : 8~9월
* 열매 : 삭과

들꽃 이야기 *습지나 논에서 자란다. 잎의 모양이 여뀌의 잎과 비슷하고, 씨방이 바늘처럼 길게 생겼다고 하여 여뀌바늘이라는 이름이 붙여졌다.*

연꽃 Nelumbo nucifera [수련과]

마디 부분이 가늘어진 뿌리줄기가 길게 옆으로 벋는다. 잎은 원형이며 수면 위에서 펼쳐진다. 잎자루는 잎 뒷면 중앙부에 방패모양으로 달린다.

꽃은 연분홍색 또는 흰색이며 꽃잎은 타원형으로 약 25개이다. 꽃받침조각은 4~5개이며, 녹색을 띤다.

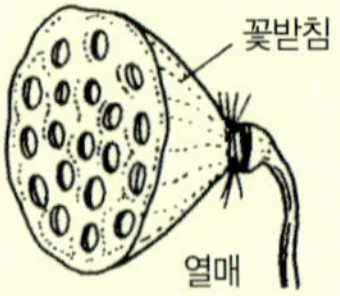

* 여러해살이풀
* 줄기 : 1~2m
* 개화 : 7~8월
* 열매 : 수과

들꽃 이야기 *못에 심어 가꾼다. 진흙 속에서 자라면서도 청결하고 고귀한 식물로 사람들에게 생각되어 친근감을 준다. 불교를 상징하는 꽃으로 널리 알려져 있다.*

올미 Sagittaria pygmaea [택사과]

뿌리줄기는 가늘고 길게 옆으로 벋으며 끝에 작은 덩이줄기가 있다. 잎은 뿌리에서 여러 개 뭉쳐나고, 여러 개의 나란히맥이 있다.

꽃은 수면 위로 곧게 선 꽃줄기 위쪽에 수꽃, 아래쪽에 암꽃이 달린다. 수꽃은 3개씩 돌려나고, 암꽃은 꽃자루가 없다.

수꽃

* 여러해살이풀
* 줄기 : 10~25cm
* 개화 : 7~8월
* 열매 : 분과

들꽃 이야기 *못가의 얕은 물에서 자란다. 택사과의 식물로 우리나라에는 올미를 비롯하여 '질경이택사, 택사, 올미, 보풀, 벗풀, 둥근잎택사' 등이 있다. 미나리아재빗과의 꽃과 비슷하다.*

왜개연꽃 Nuphar pumilum [수련과]

살진 뿌리줄기는 흙속으로 길게 벋는다. 잎은 뿌리줄기 끝에서 벋으며 물의 깊이에 따라 잎자루 길이가 달라진다. 잎몸은 수면에 뜨며 달걀모양 또는 달걀모양의 원형이다.

뿌리줄기에서 벋은 긴 꽃자루 끝에 노란 꽃이 1개씩 위를 향해 핀다.

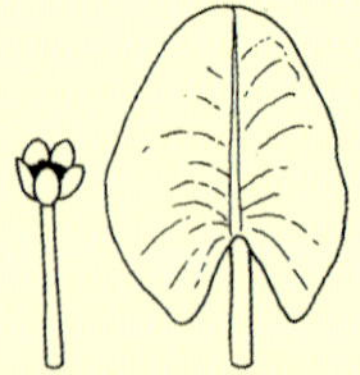

* 여러해살이풀
* 줄기 : 30cm 정도
* 개화 : 7~8월
* 열매 : 액과(장과)

들꽃 이야기 *남부 지방 섬진강 수계의 늪이나 후미진 하천 유역에서 자라며, 함경남도에서도 자란다고 한다. '개연꽃'보다 조금 작아 왜개연꽃이라고 부른다.*

외풀 Vandellia crustacea [현삼과]

줄기는 밑부분에서 가지가 갈라진다. 잎은 마주나고 긴 타원형이다.

꽃은 연한 자색으로, 잎겨드랑이에 1개씩 달린다. 꽃받침은 5개로 갈라진다. 꽃부리는 입술 모양이며, 윗입술은 2개로, 아랫입술은 3개로 갈라진다. 꽃자루는 길이 1cm 정도이다.

* 한해살이풀
* 줄기 : 5~15cm
* 개화 : 7~8월
* 열매 : 삭과

들꽃 이야기 *길가나 밭둑에서 자란다. 열매가 참외 같아 외(참외)풀이라고 부른다. 밭둑에서 자라는 '밭둑외풀', 논둑이나 들에서 자라는 '논뚝외풀(고추풀)'도 있다.*

자귀풀 Aeschynomene indica [콩과]

줄기는 곧게 서며 매끄럽다. 잎은 깃모양 겹잎이며 어긋나고 짧은 자루가 있다.

연한 노란색의 나비모양 꽃은 잎겨드랑이에 술모양 꽃차례를 이루어 달린다. 꽃받침은 깊게 2개로 갈라지며 밑부분에 작은 녹색 포엽이 있다. 꼬투리에 1개의 씨가 들어 있다.

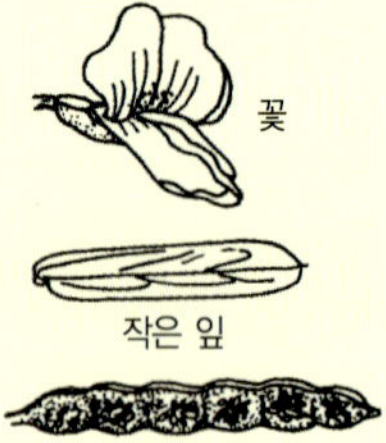

* 한해살이풀
* 줄기 : 50~100cm
* 개화 : 7~8월
* 열매 : 꼬투리

들꽃 이야기 *논두렁이나 냇가 등의 습지에서 자란다. 자귀나무처럼 잎이 밤중에 접혀 자귀풀이라고 한다. 식용이나 사료용으로 쓰며 씨와 풀 전체를 달여 차로 마신다.*

전동싸리 Melilotus suaveolens [콩과]

줄기는 많은 가지가 갈라진다. 잎은 어긋나며 3출 겹잎이다. 작은 잎은 긴 타원형이며, 끝이 둥글고 가장자리에 가는 톱니가 있다.

노란 꽃은 잎겨드랑이에 술모양 꽃차례를 이루어 핀다. 꽃받침에 잔털이 약간 있다. 꼬투리에 1개의 갈색 씨가 있다.

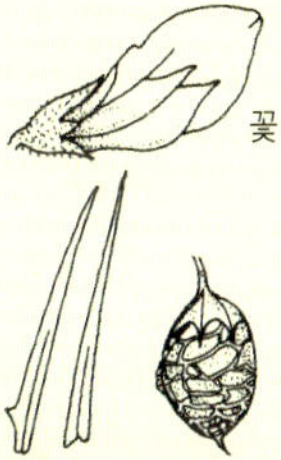

* 두해살이풀
* 줄기 : 60~90cm
* 개화 : 7~8월
* 열매 : 꼬투리

들꽃 이야기

냇가 모래땅, 평지 빈터, 길가에서 자란다. 마른 가지에서 향기가 난다. 비슷한 종으로 전동싸리보다 흰색의 작은 꽃이 피는 것을 '흰전동싸리'라고 한다.

젓가락나물 Ranunculus chinensis [미나리아재빗과]

줄기는 거센 털이 있으며 속이 비어 있다. 뿌리에서 난 잎은 3출 겹잎이며, 작은 잎은 2~3회로 깊게 갈라지고, 양면에 거센 털이 촘촘히 난다.

노란색 꽃은 줄기나 가지 끝에 2~3개가 달린다. 여러 개의 수과가 모여 타원형 집합과(취과)를 이룬다.

잎(3출 겹잎)

열매

* 두해살이풀
* 줄기 : 40~60cm
* 개화 : 7월
* 열매 : 집합과(수과)

들꽃 이야기 *볕이 잘 드는 습지에서 자란다. '반데나물, 젓가락풀'이라고도 한다. 줄기가 가늘고 억세게 젓가락같이 변한다고 하여 붙여진 이름이다.*

좀보리사초 Carex pumila [사초과]

뿌리줄기가 길게 벋으며, 줄기는 매끄럽다. 잎은 줄기보다 길며 폭 2~4mm이다. 자갈색 잎집은 그물모양으로 갈라진다.

줄기 윗부분에 1~3개의 수꽃 잔이삭과 아랫부분에 2~3개의 암꽃 잔이삭이 달리는데, 각각 길이 1.5~3mm, 폭 9mm 정도이다. 열매는 세모지다.

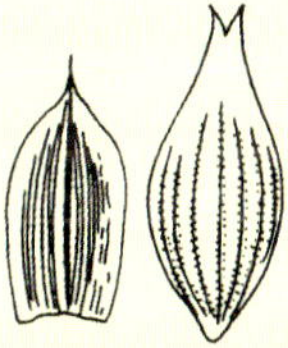

* 여러해살이풀
* 줄기 : 10~20cm
* 개화 : 6~7월
* 열매 : 수과

들꽃 이야기 *바닷가 모래땅에서 자란다. 같은 사초과에 속하는 천일사초는 담수와 해수가 섞이는 습지에서 자라며, 잎의 폭이 1.5~2.5mm로 좁은 선모양이다.*

좁쌀풀 Lysimachia vulgaris var. davurica [앵초과]

꽃차례나 잎 밑부분에 샘털이 있다. 잎은 마주나거나 3~4개가 돌려나며 잎자루가 거의 없다. 잎몸은 피침형으로 끝이 뾰족하고 가장자리가 밋밋하다.

노란 꽃은 줄기 끝에 원뿔 꽃차례로 핀다. 꽃부리는 깊게 5개로 갈라지며, 미세한 흑점이 있다.

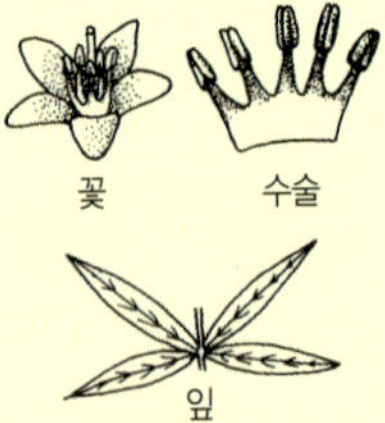

* 여러해살이풀
* 줄기 : 30~90cm
* 개화 : 7~8월
* 열매 : 삭과

들꽃 이야기 볕이 잘 드는 습지나 물가에서 자란다. 노란색을 띠는 작은 꽃들이 다닥다닥 줄기에 붙어서 피어 있는 모양이 마치 좁쌀 같아 붙여진 이름이다.

차풀 Cassia mimososides var. nomame [콩과]

줄기에 잔털이 있다. 잎은 어긋나고, 짝수 깃모양 겹잎이다. 작은 잎은 긴 타원형으로 15~35쌍이다.

노란 꽃이 잎겨드랑이에 1~2개씩 달린다. 꽃잎은 5개로, 길이가 6~7mm이다. 편평하고 잔털이 있는 꼬투리는 익으면 꼬이면서 갈라진다.

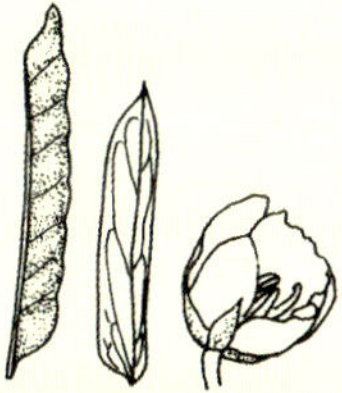

열매 작은 잎 꽃

* 한해살이풀
* 줄기 : 30~60cm
* 개화 : 7~8월
* 열매 : 꼬투리

들꽃 이야기

냇가의 볕이 잘 드는 모래땅이나 길가 풀밭에서 자란다. 잎이 달린 줄기를 말린 것과 볶은 씨를 차로 이용한다고 하여 차풀이라는 이름이 붙여졌다.

참골무꽃 Scutellaria strigillosa [꿀풀과]

줄기에서 많은 가지가 갈라지고, 줄기 모서리를 따라 위를 향해 흰 잔털이 촘촘하다. 잎은 마주나고, 거의 잎자루가 없거나 길이 1~2mm이며, 잎몸은 긴 타원형이다.

꽃은 윗부분의 잎겨드랑이에 2개씩 위를 향해 달린다. 꽃부리는 짙은 보라색이다.

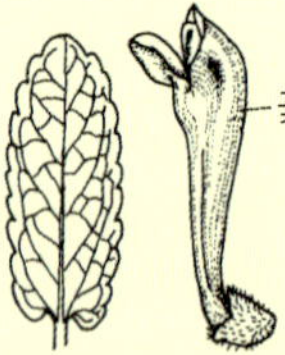

* 여러해살이풀
* 줄기 : 10~40cm
* 개화 : 7~8월
* 열매 : 분과

들꽃 이야기

바닷가 모래땅에서 자란다. '큰골무꽃, 민골무꽃, 흰참골무꽃'이라고도 한다. 비슷한 종으로 '왜골무꽃'은 전체에 털이 적고 모가 난 줄에만 털이 있다.

칠면초 Suaeda japonica [명아줏과]

줄기는 육질이고 털이 없으며, 처음에는 녹색이다가 적색 또는 적자색으로 변한다. 잎은 자루가 없고 잎몸은 원통모양이며 끝이 둔하다.

2~7개의 암수꽃이 함께 잎겨드랑이에 이삭모양으로 달린다. 꽃잎은 없고 육질의 꽃받침은 깊게 5개로 갈라진다.

잎과 열매

* 한해살이풀
* 줄기 : 15~45cm
* 개화 : 8월
* 열매 : 포과

들꽃 이야기 *서해안 중남부 갯벌에서 자란다. 풀 색깔이 칠면조의 몸빛처럼 변하여 칠면초라고 부른다. 한방에서 뿌리를 제외한 풀 전체를 열을 내리는 약재로 쓴다.*

택사 Alisma canaliculatum [택사과]

뿌리줄기가 짧다. 잎은 뿌리에서 뭉쳐나고 피침형이다. 잎 밑부분이 점점 좁아지면서 잎자루를 이룬다. 꽃줄기 윗부분에 3~4개의 가지가 돌려난다.

꽃은 양성이다. 꽃받침조각은 녹색이며 3개이다. 꽃잎은 3개이며 흰색이고 아래쪽은 연한 노란색이다.

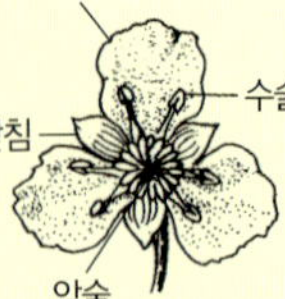

꽃

* 여러해살이풀
* 줄기 : 40~130cm
* 개화 : 7~8월
* 열매 : 수과

들꽃 이야기

늪이나 못, 논 등의 습지에서 자란다. '쇠태나물'이라고도 한다. 한방에서 뿌리줄기를 택사라고 하며, 약재로 쓰기 위해 재배한다.

퉁퉁마디 Salicornia herbacea [명아줏과]

줄기는 육질이며, 많은 가지가 마주나게 갈라진다. 굵은 마디는 짙은 녹색이다가 가을에 짙은 붉은색으로 변한다. 잎은 막질의 작은 비늘조각이다.

윗부분의 마디에 꽃받침에 싸인 2개의 수술과 1개의 암술만이 있다. 열매에 잔털이 있고 씨는 검다.

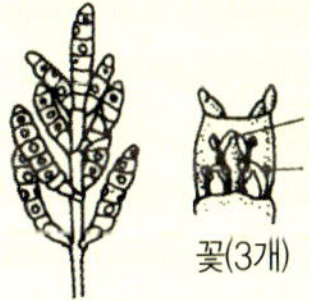

* 한해살이풀
* 줄기 : 10~30cm
* 개화 : 6~7월
* 열매 : 포과

들꽃 이야기 *울릉도와 서해안 갯벌이나 바닷물이 드나드는 내륙 염분지에서 자란다. 마디가 퉁퉁하게 생겨서 퉁퉁마디라는 이름이 붙여졌다.*

해녀콩 Canavalia lineata [콩과]

덩굴에 밑을 향한 털이 있다가 차차 없어진다. 잎은 잎자루가 길고 3개의 작은 잎이 있는데, 작은 잎은 두꺼우며 윗면에 털이 있고, 뒷면에는 털이 없다.

각 마디에 2~3개의 연한 홍자색 꽃이 총상 꽃차례로 달린다. 꽃받침은 붉은빛을 띠며 5개로 갈라진다.

* 여러해살이풀
* 줄기 : 2m 정도
* 개화 : 7~8월
* 열매 : 삭과

들꽃 이야기 *우리나라 제주도 토끼섬에서 자생하는 특산종이다. '해도두'라고도 한다. 해녀콩이라는 이름은 '해변에서 나는 콩'이라는 뜻을 담고 있다.*

해당화 Rosa rugosa [장미과]

가지에 털이 촘촘히 나고 가시가 많다. 잎은 어긋나며 잎몸은 홀수 깃모양 겹잎이다. 작은 잎은 5~7개이고 타원형이며 잎맥을 따라 깊은 주름이 있고 뒷면에 털이 빽빽이 난다.

향기가 짙은 자홍색 꽃이 가지 끝에 1~3개씩 달린다. 꽃받침통은 둥글고 털이 없다.

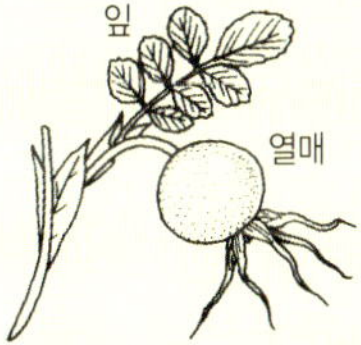

* 낙엽 활엽 관목
* 줄기 : 1~2m
* 개화 : 6~8월
* 열매 : 수과

들꽃 이야기 *전국 바닷가의 모래땅이나 산기슭에서 자란다. '해당나무, 필두화'라고도 한다. 어린순은 나물로 먹고, 뿌리는 한방에서 약재로 사용한다. 향기가 좋다.*

[용어 도해]

▶ 잎의 유형

▶ 잎차례의 유형

▶ 잎몸 모양

▶ 잎몸 가장자리

▶ 잎몸의 윗부분 모양

▶ 잎맥의 유형

▶ 잎몸의 밑부분 모양

▶ 꽃차례의 유형

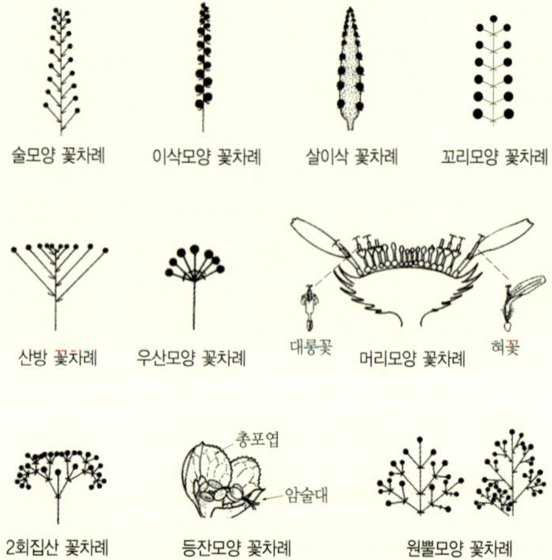

▶ 꽃의 유형

▶ 열매의 유형

포간 삭과: 고추나물의 열매같이 열매 속의 각 실 사이의 격벽이 각각 갈라지는 삭과를 말한다.

개공 삭과: 양귀비의 열매같이 열매 윗부분에 꽃가루를 흩어 퍼뜨리기 위한 구멍이 생기는 삭과를 말한다.

포주 삭과: 질경이, 뚜껑덩굴의 열매같이 열매 윗부분이 모자모양으로 갈라지는 삭과를 말한다.

▶ 볏과 식물의 용어

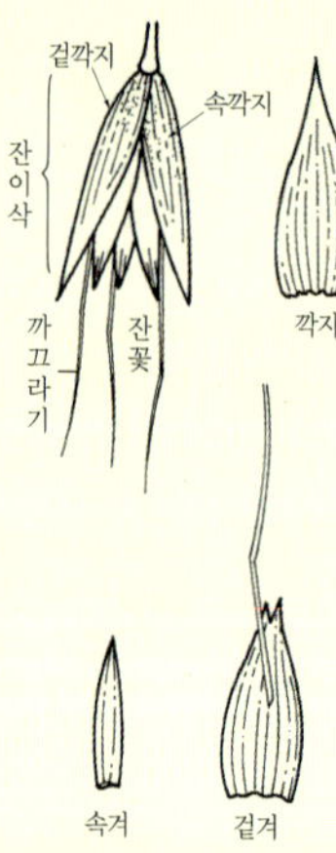

메귀리꽃의 여러 부분

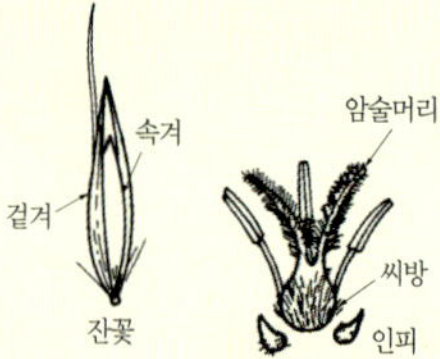

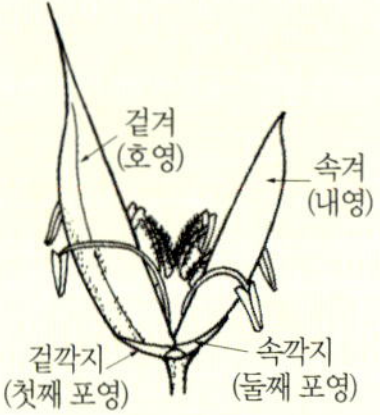

벼의 잔이삭

▶ 양치 식물의 용어

쇠뜨기

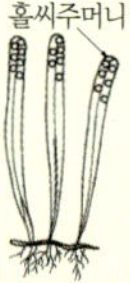

일엽초

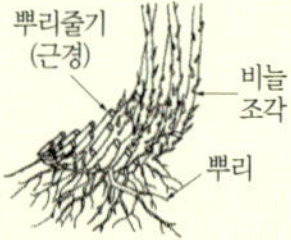

양치류 뿌리

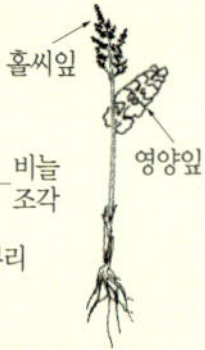

고사리삼

양치류

[찾아보기]

ㄱ

주머니에 쏙~

여름 꽃식물 찾기

2010년 4월 10일 인쇄
2010년 4월 15일 발행

글 · 사진 / 고경식 · 김명화 · 서재철 · 구자익
펴낸이 : 이정일

펴낸곳 : 도서출판 **일진사**
www.iljinsa.com

140-896 서울시 용산구 효창동 5-104
대표전화 : 704-1616 / 팩스 : 715-3536
등록번호 : 제3-40호(1979. 4. 2)

값 15,000원

ISBN : 978-89-429-1146-2